'TYDI C

'TYDI CARIAD YN GREULON!

GWENNO HYWYN

Gwasg
Gwynedd

Argraffiad cyntaf — Tachwedd 1990
Ail argraffiad — Gorffennaf 1992

ISBN 0 86074 062 5

Dymuna'r cyhoeddwyr gydnabod cymorth a chyfarwyddyd
Adrannau'r Cyngor Llyfrau Cymraeg a noddir gan
Gyngor Celfyddydau Cymru.

Cyhoeddwyd dan gynllun comisiynu'r Cyngor Llyfrau Cymraeg.

Argraffwyd gan Wasg Gwynedd, Caernarfon

Dydd Llun, Mehefin 25

Nefoedd! Mae pethau'n mynd o ddrwg i waeth! A fedra i ddim gweld y gwnân nhw wella dim nes y bydda i'n ddigon hen i adael cartref. Rydw i'n eistedd ar fy ngwely efo'r dyddiadur newydd ges i'n anrheg pen-blwydd gan Anti Jên ond prin y medra i feddwl heb sôn am sgwennu. Mae Mam a Dad wrthi'n 'sgwrsio' i lawr y grisiau ac rydw i'n siŵr bod pawb yng Ngwynedd, os nad yng Nghymru a'r bydysawd, yn eu clywed nhw'n glir. Mi fasech yn meddwl rŵan, gan fod y Gorbachev 'na'n ddyn bach mor glên, a Rwsia ac America wedi dechrau gwenu ar ei gilydd o'r diwedd, y basai 'na dipyn o *détente* yn tŷ ni. Ond dim peryg yn byd neu, a bod yn fanwl gywir, lot o beryg yn y byd. Mae Mam wedi penderfynu bod petrol a sebon a chwistrell chwys a bob math o bethau eraill lawn mor beryglus â'r bom a bod rhaid i ni, fel teulu, ddilyn polisi o 'ddi-chwistrellu unochrog' er mwyn rhoi arweiniad i bawb arall. Mae hi *into* yr amgylchfyd go iawn, a chan fod Dad *into* glanweithdra a gofal y corff, mae hi fath â *summit meeting* tragwyddol yn y tŷ 'ma.

Dad wnaeth droi'r drol heno. Roedden ni'n cychwyn allan i swper i ddathlu'r ffaith 'mod i wedi cyrraedd un ar bymtheg oed heb redeg i ffwrdd, mynd ar gyffuriau, cael babi na gwneud 'run o'r pethau erchyll eraill mae rhieni (hyd yn oed rhai 'modern' fel fy rhai i) wastad yn ofni y bydd eu plant yn eu gwneud. Roedden ni hefyd yn dathlu bod Tracy, Nerys a finnau'n dal ar dir y byw ar ôl cyfnod anhygoel o ddiflas arholiadau'r TGAU. Dydw i byth bythoedd isio mynd trwy gyfnod fel 'na eto. Yr haul yn tywynnu'r tu allan, y traeth dan ei sang o hogiau ffantastig o olygus mewn trowsusau bach, bach — a finnau'n gorfod treulio oriau ac oriau yn y llofft 'ma'n dysgu pethau hollol ddi-werth a thwp, fy mhen-ôl i'n mynd yn lletach ac yn lletach bob dydd efo'r holl eistedd a phlorod anferth yn tyfu ar fy wyneb i efo'r diffyg awyr iach.

Mi wnes i drio awgrymu i Mam a Dad na fasai medru gwneud symiau ac adrodd darnau maith o *Cysgod y Cryman* o ddefnydd yn y byd (na'r tu allan i'r byd) pan fasen ni i gyd yn cael ein sugno trwy'r twll yn yr osôn — ac mae hynny'n saff o ddigwydd cyn diwedd y ganrif, yn ôl Mam. Mi awgrymais i y basai'n fwy synhwyrol o'r hanner imi roi'r gorau iddi a gwneud rhywbeth buddiol fel hel sbwriel, ond ches i fawr o gydymdeimlad.

"Mae addysg yn ehangu gorwelion," meddai Mam yn syth. "Ac mi ddylet ti ddiolch am y cyfle. Mae 'na filiynau o bobol ifanc yn y byd fasai'n falch o ffeirio lle efo ti."

"Can croeso iddyn nhw," meddwn innau. Rôn i am egluro y basai'n well gen i fod yn cario dŵr ar fy mhen yn India neu rywle ecsotig arall nag yn trio cofio beth ydi effaith y stwff ar gopor sylffad. Rydw i'n siŵr y basai hynny'n dysgu mwy imi am hanfodion bywyd — ac mae Mam wastad yn paldaruo am y rheiny, beth bynnag ydyn nhw. Ond ches i ddim cyfle i ymhelaethu. Roedd Dad isio cyfrannu at y drafodaeth.

"Mae dy fam yn iawn," meddai fo yn ei ffordd

dreiddgar arferol. Rôn i'n gwybod nad ôn i haws â dadlau wedyn. Ar yr adegau prin pan mae Mam a Dad yn penderfynu dangos 'ffrynt unedig', does 'na ddim modd eu trechu nhw.

Maen nhw ymhell o fod yn unedig heno. Mi ddechreuon nhw 'sgwrsio' cyn imi fynd allan ac mi fu'r ffrae yn ffrwtian fath â lobscows ar y stof drwy'r amser y buon ni'n cael swper yn y gwesty. Erbyn hyn, mae hi wedi berwi drosodd go iawn. I ddechrau, roedd Mam yn flin am fod Dad yn hwyr yn dod yn ôl o'i jog. Roedd Tracy a Nerys a finnau'n barod ers oriau ac roedd hithau wedi dod adre mewn da bryd o'i thrip wythnosol i ddanfon papurau a photeli a ballu i'r biniau pwrpasol ar gyfer eu hailgylchynu. Roedden ni'n pedair ar bigau'r drain ers meitin, ond doedd 'na ddim golwg o Dad. Mi gyrhaeddodd ymhen hir a hwyr yn laddar o chwys ac yn brolio'i fod wedi rhedeg dros ddeg milltir.

"Mi fedrwn i weld y pwynt taset ti'n rhedeg i rywle," meddai Mam, ond mi frathodd ei thafod wedyn — roedd hi'n amlwg yn benderfynol o greu 'awyrgylch hapus' ar gyfer fy mharti pen-blwydd i, hyd yn oed tasai hi'n tagu yn y broses. Mi fasai popeth wedi bod yn iawn tasai Dad wedi bodloni ar newid a dod yn syth. Ond, yn lle hynny, mi fynnodd gymryd cawod ac wedyn mi aeth ati i'w chwistrellu'i hun efo *Brut for Men,* nes bod y tŷ'n drewi fath â Sioe Flodau'r Amwythig. Wrth gwrs, mi wylltiodd Mam yn syth.

"Beth am yr osôn?" meddai hi gan gipio'r chwistrell a'i luchio fath â thaflegryn *Exocet* i gyfeiriad y bin.

"Fflamia'r osôn!" meddai Dad gan ymbalfalu ar ei liniau am y Brut. "Beth am fy ngheseiliau i?"

Mi agorodd Mam ei cheg i roi darlith am 'gyfrifoldeb' a 'charu'r blaned' a ballu, ond yna mi gymerodd wynt mawr a gwenu'n ddel ar y tair ohonon ni.

"Mi awn ni i'r car, genod," meddai hi mewn llais fath â thriog melyn. "Wrth gwrs bod ceseiliau dyn yn bwysicach na dyfodol y byd 'ma! Sut medrwn i fod mor ddwl?"

A dyna sut y buon nhw drwy'r gyda'r nos. Sôn am barti pen-blwydd! Roedd Tracy wedi pwdu am fod y fwydlen yn Saesneg, a Nerys yn dweud pethau sbeitlyd dan ei gwynt am fod pris stecsan bron cymaint â bil bwyd wythnosol ei mam. Ac rôn innau'n trio smalio nad ôn i'n clywed Mam a Dad yn tynnu ar ei gilydd gan esgus bod yn glên. Wedyn, i goroni'r cwbwl, pan ddaeth y pwdin mi fu'n rhaid i Dad wneud araith sentimental a dweud ei fod yn teimlo'n chwithig iawn o sylweddoli bod ei hogan fach yn ddigon hen i briodi rŵan.

Mi ddechreuodd Tracy a Nerys nadu fath â dwy hyena.

"'Sdim lot o jans 'da ti, nago'se, Del?" meddai Tracy gan bwffian chwerthin nes bod darnau o *meringue* yn tasgu o'i cheg hi.

"Mi fasai'n well iti heb y treiffl 'na, Delyth Haf!" cytunodd Nerys. "Mae gen ti filoedd o blorod y fodfedd sgwâr yn barod!"

"Peidiwch â 'nghymryd i'n ysgafn!" meddwn innau, ac mi fedrwn fod wedi fy nghicio fy hun yn syth. Mi aeth y ddwy — a Mam a Dad efo nhw — i ffitiau o sterics. Mi fasech yn meddwl 'mod i newydd ddweud y jôc orau yn y byd, ac mi fu'n rhaid i minnau wenu a smalio 'mod i wedi bwriadu bod yn ddoniol.

Ond dôn i ddim. A dydw i ddim yn teimlo'n ddoniol rŵan chwaith. O! mi leciwn i taswn i'n denau ac yn siapus ac yn mynd go iawn efo rhywun fel y mae Tracy a Nerys! Dydw i ddim yn meddwl y baswn i isio priodi chwaith — hyd yn oed taswn i'n ddau ddeg chwech ac yn rhy hynafol i obeithio cael pisyn. A barnu wrth y ffordd mae Mam a Dad wrthi ar hyn o bryd, mi fasai'n well gen i fod yn hen ferch am byth. O mi leciwn i tasen nhw'n rhoi'r gorau iddi imi gael llonydd i gysgu! Mi fydd fy wyneb i'n grychau i gyd, yn ogystal â phlorod, erbyn y bore a wneith neb sbio arna fi wedyn. Taswn i ddim mor dew, mi faswn i'n rhedeg i ffwrdd, ond go brin y basai unrhyw un yn peryglu'i *chassis* trwy roi pàs imi, a go brin y basai unrhyw hogyn yn medru fy mhigo i i fyny, hyd yn oed tasai ganddo fo gyhyrau fath â Superman. Peth ofnadwy ydi bod yn un ar bymtheg ac ar y silff. O! tydi bywyd yn boen!

Dydd Mawrth, Mehefin 26

Nefoedd! Pam na wneith 'na rywbeth ddigwydd? Mi fasai unrhyw beth — hyd yn oed rhywbeth erchyll fel y tŷ'n mynd ar dân neu Mam yn elopio efo Parri Bach — yn well na'r dim byd tragwyddol sydd yn fy mywyd i ar hyn o bryd. Dydw i ddim yn meddwl imi gael amser mor ddiawchedig o syrffedus o ddiflas ers pan gafodd Mam ei phŵl mynd i'r capel pan ôn i tua chwech oed. Mi benderfynodd hi bryd hynny bod 'anghydffurfiaeth yn rhan o'n hetifeddiaeth ni' a bod rhaid 'cadw'r hen ffordd Gymreig o fyw' a rhyw rwtsh felly. Rydw i'n cofio eistedd ar y sêt galed, fy nghoesau'n hongian uwchben y llawr, a meddwl, Beth tasai'r byd yn stopio rŵan? Beth taswn i'n gorfod aros fel hyn am byth?' Ond wnaeth y byd ddim stopio a dim ond am awr ar y tro roedd rhaid imi ddioddef y diflastod trwy ryw drugaredd. Wnaeth arbrawf Mam ddim para'n hir beth bynnag. Mi flinodd hi'n ddigon buan pan ffendiodd nad oedd hi'n cael ateb y pregethwr yn ôl!

Ond mae'r diflastod yma'n mynd ymlaen ac ymlaen ac ymlaen, a wela i ddim diwedd iddo fo. Rôn i'n meddwl y basai bywyd yn braf wedi i'r arholiadau ddod i ben. Ond dydi o ddim. Fedra i ddim peidio â meddwl am y blwmin pethau: meddwl am yr atebion briliant y medrwn i fod wedi'u rhoi tasai fy nhu mewn i ddim yn troi cymaint; a meddwl, er na faswn i byth bythoedd yn cyfaddef hyn wrth neb, y dylwn i fod wedi gweithio mymryn bach yn galetach yn lle treulio amser yn syllu trwy'r ffenest rhag ofn i ryw bisyn handi ddigwydd mynd heibio. Ella y basai gen i fwy o jans o basio wedyn ac ella y basai gen i obaith o gael gadael y twll 'ma ymhen dwy flynedd a mynd i'r coleg fath â Dylan. Mae hi mor braf arno fo — yn cael digon o hei-leiff a chael treulio'r gwyliau'n hel mefus a phethau difyr felly. Dydi o ond yn picio adre pan mae o isio hel ei nerth a chael ei wynt ato. Ond mae'n amlwg mai ar y dôl ac yn byw yma efo Mam a Dad y bydda i am byth, yn gorfod torri ewinedd eu traed nhw wedi iddyn nhw fynd yn rhy hen i blygu ac yn gorfod gwneud cawl a blwmonj iddyn nhw wedi iddyn nhw golli'u dannedd.

A bod yn deg, roedd y ddau'n ymddwyn fel tasen nhw tua deunaw oed drwy'r dydd heddiw. Fel 'na maen nhw bob amser ar ôl cael un o'u 'sgyrsiau' — yn galw'i gilydd yn 'cariad' ac yn 'pwt' bob yn ail air nes eu bod nhw'n ddigon i droi stumog rhywun. Ac, wrth gwrs, mi fu'n rhaid i'r ddau gael egluro i mi bod 'popeth yn iawn' a'u bod nhw'n 'meddwl y byd o'i gilydd yn y bôn'. Mi ddaeth Dad i'r llofft 'ma cyn imi ddeffro'n iawn y bore 'ma — roedd o wedi bod am jog yn barod — i esbonio'i fod o'n meddwl mwy o Mam nag o'r Cyngor Sir a'r Ganolfan Hamdden a'i geseiliau i gyd efo'i gilydd.

"Rydyn ni'n deulu lwcus iawn," meddai fo.

Lwcus! Yr unig beth lwcus sydd wedi digwydd i mi yn ddiweddar ydi cael y dyddiadur 'ma gan Anti Jên. Oni bai am hwn, fasai gen i ddim i'w wneud ond eistedd yn edrych ar y wal. Does 'na ddim pwynt edrych trwy'r ffenest — mi wn i hynny o brofiad. Does 'na ddim un o hogiau'r cylch yma'n werth sbio unwaith arno fo, heb sôn am ddwywaith. Rôn i'n ofnadwy o ddigalon pan ôn i mewn cariad efo Trystan Jones ac wedyn efo Jean ond, o leiaf, roedd hynny'n gwneud bywyd yn fwy diddorol nag y mae o rŵan. Dydw i ddim wedi ffansïo neb ers misoedd ac, a bod yn berffaith onest, rydw i'n dechrau amau 'mod i wedi colli'r gallu i syrthio mewn cariad. Mae Tracy a Nerys yn ddigon i roi rhywun *off* y peth, p'run bynnag. Mae'r ddwy'n canlyn yn selog — Tracy efo'r lembo Gareth 'na eto a Nerys efo rhyw foi anhygoel o ddi-lun sy'n gweithio efo hi yn y caffi ar lan y môr — ac mae'r ddwy'n mynd o gwmpas efo golwg slopi wirion ar eu hwynebau ac yn codi pwys arna i.

Dydw i'n cyfrif dim ganddyn nhw. Maen nhw wedi fy ngadael i yma ar fy mhen fy hun eto heno — mae'n siŵr y dylwn i deimlo'n freintiedig eu bod nhw wedi medru sbario noson i ddod i ddathlu fy mhen-blwydd i neithiwr. Mae Mam a Dad wedi mynd allan i gael 'swper bach jest i ni'n dau' — Dad yn drewi o'r stwff chwys osôn-gyfeillgar brynodd Mam iddo fo'r pnawn 'ma, a hithau efo'r clustdlysau, wedi'u gwneud o hen gopïau o'r *Guardian* gafodd hi ganddo fo, yn cyhwfan un bob ochr i'w gwên.

A dyma finnau yn fan'ma. Yn un ar bymtheg oed ac yn hen fel pechod ond ddim hanner mor ddiddorol. O na! Rydw i newydd feddwl! Ella mai fel hyn roedd Cadi Cwc yn f'oed i ac ella y bydda innau'n tyfu i fyny i fod yn sych ac yn chwerw ac yn galed! O argol! Beth wna i? Mi fasai'n well gen i farw na bod fel yr hen jadan yna! Mi fydd rhaid imi drio bod yn bositif: colli pwysau, torri fy ngwallt, clirio'r hen blorod 'ma a meithrin personoliaeth ddeniadol a bywiog. Mi ddechreua i ben bore fory. Does 'na ddim amser i'w golli!

Dydd Mercher, Mehefin 27

Argol! Rydw i wedi ymlâdd! Wyddwn i ddim bod bod yn bositif yn beth mor flinedig. Does ryfedd nad oes gan Mam ddim egni ar ôl i wneud gwaith tŷ!

Mi godais i'n gynnar, gynnar ac mi es allan am jog efo Dad cyn brecwast — rôn i'n ffyddiog y basai'r rhedeg yn gwneud lles i'm pen-ôl i ac y basai'r awyr iach yn clirio'r plorod. Roedd Dad mewn andros o dymer dda — mae'n amlwg bod y 'swper bach i ddau' wedi mynd yn rhagorol — ac mi ddangosodd o frwdfrydedd, chwarae teg iddo fo, pan soniais i am yr ymgyrch newydd.

"Edrych ar d'ôl dy hun, dyna'r gyfrinach, Del," meddai fo gan droi'n ôl am funud i edrych ar ryw genod oedd yn jogio'r ffordd arall. "Meddwl iach mewn corff iach, dyna fydda i'n ei ddweud bob amser."

Chlywais i 'rioed mono fo'n dweud hynny o'r blaen.
Ac, a barnu wrth y ffordd roedd o'n syllu ar goesau'r
genod, mae'i feddwl o y tu hwnt o afiach, beth bynnag
am ei gorff o. A dweud y gwir, rydw i wedi sylwi arno
fo'n llygadu merched droeon yn ddiweddar. Tybed ydi
o'n mynd trwy'r *male menopause?* Rydw i wedi clywed
bod dynion canol oed yn aml isio profi'u bod nhw'n dal
i fedru denu merched ifanc. Er, a bod yn berffaith onest,
fedra i ddim dychmygu y basai unrhyw hogan gall isio
dod yn agos at Dad. Tasai hi'n tynnu'i bysedd yn ysgafn
trwy'i wallt o fel maen nhw'n gwneud mewn llyfrau, mi
fasai'n cael andros o sioc o ffendio nad oes ganddo fo
ddim ond dau gudyn dros ei le moel a bod y rheiny'n
seimllyd i gyd ar ôl iddo'u sticio yn eu lle!
    Beth bynnag, doedd gen i ddim amser i sefyll a
meddwl — roedd Dad ymhell ar y blaen imi erbyn hyn,
er ei fod yn rhedeg wysg ei gefn — er mwyn cael edrych
ar y genod, mae'n siŵr.
    "Pam na ddarlleni di rywbeth gan Dale Carnegie?"
meddai fo pan gyrhaeddais i ato fo'n chwys doman.
    Fedrwn i ddim ateb ar y pryd gan ein bod ni'n rhedeg
i fyny allt, ond pan gyrhaeddais i'r pen a chael fy ngwynt
ataf, mi holais i oedd gan y Dale 'ma rywbeth i'w wneud
efo Swydd Efrog — roedd o'n swnio fel lle yn fan'no i
mi. Ond dyn oedd o, mae'n debyg, ac, yn ôl Dad, fo
oedd arbenigwr mwya'r byd ar fod yn bositif. Mae'n
siŵr ei fod o'n greadur diawchedig o anodd byw efo fo,
ond mi benderfynais i y basai unrhyw beth yn werth ei
drio er mwyn cael sbario tyfu i fod fel Cadi Cwc.
    Mi gytunodd Tracy i ddod i'r dre efo fi ar ôl brecwast.
Mi gawson ni bàs gan Mam. Roedd hi a Parri Bach a

rhyw nytars eraill wedi trefnu i bicedu'r archfarchnad a thrio perswadio pobol i gario'u bwyd a ballu adre yn eu pocedi yn lle defnyddio fforestydd Brasil i wneud bagiau papur. Aethon ni ddim ar eu cyfyl nhw — mi fasai gen i ormod o gywilydd — ond mi gawson ni amser difyr iawn yn y siop lyfrau.

Mi ddaethon ni o hyd i lyfr Dale Carnegie. *How To Stop Worrying and Start Living* oedd ei enw fo ac roedd o'n andros o lyfr drud, tew — rydw i'n siŵr bod coeden gyfan wedi mynd i'w wneud o.

"Jest y peth i ti, Del," meddai Tracy gan ei estyn oddi ar y silff. "'Ti'n becso gormod am bethe dibwys."

Dibwys! Mi liciwn i wybod sut basai hi'n teimlo tasai'i phen-ôl hi fel cefn lori a tasai ganddi blorod fath â'r Himalayas hyd ei hwyneb! Dôn i ddim isio gwario f'arian prin ar lyfr chwaith ac mi es ati i ddarllen y bennod gynta yn y fan a'r lle tra bod Tracy, chwarae teg iddi, yn cadw dynes y siop yn brysur trwy smalio'i bod hi isio prynu beiro anhygoel o ddrud yn anrheg i'w thaid.

Prif neges y llyfr, hyd y medrwn i'i weld ar ras wyllt o ddarlleniad, oedd bod rhaid meddwl am heddiw a pheidio â phoeni am fory. Mi gofiais i bod gan Anti Jên record o ryw foi'n canu 'Un dydd ar y tro' ac mi sylweddolais yn sydyn bod hynny'n eitha polisi. "Reit," meddwn i wrtho fy hun, "Pen-ôl heddiw. Plorod fory."

Mi gaeais i'r llyfr yn glep a'i osod ar y silff cyn mynd i nôl Tracy. Erbyn hynny, roedd y cownter bron â sigo dan lwythi o feiros a Tracy wrthi'n egluro i'r ddynes mai dim ond beiro llaw chwith fasai'n gwneud y tro i'w thaid. Roedd honno druan mewn dipyn o benbleth ac yn falch o gael gwared ohonon ni.

"Rôn i'n meddwl bod dy daid wedi marw," meddwn i wrth Tracy wrth inni gychwyn i ffwrdd.

"O na! Pryd, gwed?" meddai hithau mewn llais torcalonnus ac, wrth gymryd cip yn ôl, mi welson ni bod dynes y siop yn edrych fel tasai hi am ruthro i roi'i breichiau amdani a mynegi ei chydymdeimlad dwys.

"Mi edrycha i ar ei hôl hi," meddwn i gan arwain Tracy allan. Unwaith y cyrhaeddon ni'r stryd, mi chwarddon ni'n dwy nes roedden ni'n wan. O! rydw i'n mwynhau cwmni Tracy! Mi fasai'n dda gen i tasai hi ddim yn treulio cymaint o amser efo'r hen Gareth wirion 'na.

Ond roedd gen i ddigon i'w wneud heddiw. Mi weithiais i ar fy mhen-ôl drwy'r dydd: mi wnes yr holl ymarferion sydd yn y llyfr *Corff Newydd Ymhen 30 Diwrnod* ac mi 'gerddais' i filltiroedd ar fy eistedd yn ôl ac ymlaen ar draws y llofft 'ma. Rydw i'n siŵr bod 'na wahaniaeth yn barod. Mae fy nghyhyrau i'n teimlo'n dynn, dynn — mor dynn, a dweud y gwir, rydw i'n cael trafferth i orwedd yn braf ar fy ngwely. Ond mae'n rhaid imi drio cysgu i fod yn barod at y bore. Plorod fory!

Dydd Iau, Mehefin 28

Ych a fi! Os byth y gwela i giwcymber arall, mi fydda i'n sâl fel ci. Yn ôl y llyfr *Corff Newydd Ymhen 30 Diwrnod*, ciwcymbers ydi'r pethau gorau a grëwyd ar gyfer trin plorod, ac felly mi es i allan y peth cynta'r bore 'ma i brynu llwythi ohonyn nhw. Mi ofalais i eu bod nhw'n giwcymbers organig, wrth gwrs — rydw i wedi gwrando digon ar Mam yn ddiweddar i wybod bod 'na bob math o gemegau hyll ar lysiau cyffredin a dôn i ddim yn ffansïo rhoi'r rheiny ar fy nghroen.

Roedd Dad wrth ei fodd pan welodd fi'n dod i'r tŷ a dwsinau o'r pethau hir, gwyrdd yn fy mreichiau. (Roedd o wedi cymryd diwrnod o'i waith er mwyn mynd 'am dro braf ar y bryniau' efo Mam. Mae 'na rywbeth yn od iawn yn hyn i gyd: dydyn nhw ddim yn arfer bod mor slopi hyd yn oed ar ôl 'sgwrs' ddrwg.)

Beth bynnag, mi wenodd fel giât pan welodd fi'n dod.

"Bwyd iach!" meddai fo. "A digon o ffeibr! Mi wneith les mawr i dy goluddion di!"

Dôn i ddim yn bwriadu i'r ciwcymber fynd yn agos at fy ngholuddion i, ble bynnag mae'r rheiny, ond ddeudais i ddim byd. Mi gipiais gyllell finiog o ddrôr y gegin ac mi ddes i fyny i'r llofft i baratoi. Mi gymerodd tua dwyawr imi dorri'r blwmin pethau ond, erbyn amser cinio, roedd gen i bentwr o dafelli gwyrdd, gwlyb yn barod. Mi gloais ddrws y llofft ac mi dynnais bob cerpyn oddi amdanaf cyn gorwedd ar y llawr a mynd ati'n gydwybodol i ddilyn y cyfarwyddiadau. Doedd o ddim yn waith hawdd. Dim ond am groen yr wyneb mae'r llyfr yn sôn — dydi o ddim yn crybwyll gweddill y corff. Ond rydw i wedi fy magu i gredu bod joban yn werth ei gwneud yn iawn os ydi hi'n werth ei gwneud o gwbwl, ac er nad oes 'na ddim plorod ar fy mol i a ballu hyd yn hyn, rôn i'n teimlo y dylwn i fod yn drylwyr. *'Prevention is better than cure,'* meddai Mam wrth sôn am lygredd, a Dad wrth sôn am ffeibr.

Mi ges i andros o job i gadw'r darnau ciwcymber yn eu lle. Bob tro rôn i'n cymryd fy ngwynt, roedden nhw'n llithro i bob cyfeiriad. Mi fu'n rhaid imi orwedd fel delw am oriau nes 'mod i wedi fferru'n gorn. A dydw i ddim yn meddwl y ca i fyth wared o'r oglau ciwcymber o'r llofft 'ma.

Ond mae'r aberth wedi talu ar ei ganfed. Mae 'na lai o blorod ar fy wyneb i'n bendant, ac mae gweddill fy nghroen i'n edrych yn iach iawn — hynny y medra i'i weld ohono beth bynnag achos, wrth gwrs, doedd gen i ddim gobaith rhoi'r driniaeth i fy nghefn. Rydw i'n edrych yn well nag yr edrychais i ers talwm. Yr unig biti ydi bod fy ngwallt i'n hongian fel cynffonnau llygod mawr o gwmpas fy ngên i: mae'r *perm* ges i llynedd wedi hen dyfu allan. Ond mi boena i am hynny fory. 'Digon i'r diwrnod' meddai Dale Carnegie a Trebor Edwards a phob math o bobol eraill, a dydw i'n amau dim nad ydyn nhw'n iawn. Un broblem ar y tro fydd hi i minnau o hyn allan.

Dydd Gwener, Mehefin 29

O'r nefoedd! Wn i ddim beth i'w feddwl. Weithiau, rydw i'n teimlo 'mod i wedi gwneud peth reit gall, a dro arall rydw i'n siŵr 'mod i wedi gwneud y peth mwya lloerig o ddwl wnes i erioed yn fy mywyd.

Ar Tracy mae'r bai. Hi wnaeth fy mherswadio i a hi wnaeth drefnu'r cyfan. Wn i ddim pam ei bod hi'n cymryd cymaint o ddiddordeb ynof fi'n sydyn. Fu ganddi na llygaid na chlustiau i neb ond Gareth ers misoedd ac rôn i wedi mynd i deimlo y basai waeth inni fod wedi'i gadael hi yn y *Guardian* ddim. Does 'na fawr o bwynt mabwysiadu chwaer sydd byth yma ac sy'n gwneud dim ond mwmial 'Mrs Gareth Morgan' dan ei gwynt pan mae hi yma.

A dweud y gwir, rydw i'n amau bod Dad, yn ei rôl newydd fel dyn sy'n poeni am ei deulu, wedi sibrwd gair bach yn ei chlust hi. Mi aethon ni'n tri am jog y bore 'ma — rydw i'n gwybod mai diwrnod gwallt oedd heddiw i fod, ond mae'n bwysig bod yn bositif ar bob ffrynt, yn ôl Mam. Beth bynnag, mi aeth Dad a Tracy ymhell ar y blaen i mi a, phan ddes i atyn nhw, roedd y ddau'n amlwg ar ganol sgwrs ddwys — hynny yw, nid 'sgwrs' fel y bydd Mam a Dad yn ei chael efo'i gilydd ond sgwrs fel y byddan nhw'n ei chael efo fi. Mewn geiriau eraill, roedd Dad yn traethu a Tracy'n gwrando heb ddweud dim. Pan gyrhaeddais i, mi dewodd Dad ar ganol brawddeg, a'r munud nesa mi ddaeth Tracy ata i a gofyn imi fynd efo hi a Gareth a Nerys a chariad Nerys i'r pictiwrs heno.

"Dim diolch yn fawr," meddwn i'n syth. "Ella 'mod i'n drew o giwcymber ond does gen i ddim awydd bod yn gwsberan chwaith."

"Dere!" meddai hithau. "Ni moyn iti ddod. Wir!"

Wnaeth ei thrwyn hi ddim tyfu'n fawr na dim, er 'mod i'n gwybod i sicrwydd ei bod hi'n dweud celwydd. Ac, wrth gwrs, mi wnaeth Dad smalio bod y peth yn syndod a syrpreis a sioc iddo fo.

"Wel am syniad da!" meddai fo. "Chwarae teg iti, Tracy! Faswn i byth wedi meddwl am hynna! Rhaid iti fynd, Del, a thithau wedi cael gwahoddiad arbennig!"

A phan gyrhaeddon ni'r tŷ, mi ymunodd Mam yn y corws.

"Dos efo dy ffrindiau," meddai hi. "Mae

cyfeillgarwch yn bwysicach o lawer na serch. Dydi hwnnw byth yn para'n hir.''

Wrth ddweud hynny, mi roddodd bwniad digon egr i Dad oedd wrthi'n swsian cefn ei gwddw hi ar y pryd. Mae hwnnw wedi mynd yn serchog iawn yn ddiweddar ac, a dweud y gwir, rydw i'n meddwl bod hynny'n un rheswm pam 'fod o mor awyddus i 'nghael i o'r tŷ.

Beth bynnag, mi es. Rôn i wedi cael *perm* y pnawn 'ma ac, er mai fi sy'n dweud, rôn i'n edrych yn ddigon del — mae'r plorod yn fwy tebyg i Sir Fôn nag i'r Himalayas erbyn hyn. Ond fasai waeth imi fod yn anweladwy ddim. Chymerodd neb sylw ohonof i. Mi eisteddais yn y canol, rhwng Tracy a Nerys, ac mi wyliais bob munud o ffilm echrydus o ddiflas am fywyd gwyllt yn Tibet neu rywle. Doedd y diflastod yn mennu dim ar y lleill, wrth gwrs, achos doedden nhw ddim yn edrych ar y sgrîn. Roedden nhw'n gwneud pob math o bethau oedd yn swnio'n fwy gwyllt o lawer na bywyd Tibet ac yn fwy diddorol hefyd, synnwn i ddim, ond 'mod i'n rhy embaras i edrych. Sôn am brofiad! Wn i ddim pam eu bod nhw'n galw rhywun fel fi'n gwsberan. Rôn i'n teimlo'n fwy tebyg i gangarŵ mewn caets mwncis. Rôn i'n eistedd yn fan'no a chotiau pawb ar fy nglin a'r holl gynyrfiadau 'ma'n digwydd bob ochr imi. Am unwaith yn fy mywyd, rôn i'n falch o gael dod adre.

Ond nid mynd efo nhw ydi'r peth lloerig rydw i wedi'i wneud, er bod hynny'n ddigon gwirion. Ychydig yn ôl, mi ddaeth Tracy i mewn i'r llofft 'ma — roedd hi wedi cymryd tua dwyawr i ddweud 'ta ta' wrth Gareth wrth giât lôn ac rôn i yn fy ngwely'n barod. Mi eglurodd bod cefnder i Gareth yn dod i aros efo fo'r wythnos nesa, y

basai'n rhaid i Gareth fynd â fo o gwmpas a bod y
ddau'n meddwl y basai'n syniad i mi fynd hefyd i
wneud pedwarawd — neu chwechawd efo Nerys a
Dewi, ei chariad di-lun. Mae'n siŵr eu bod nhw'n
meddwl ei bod hi'n well cael pâr arall o fwncis na
gwsberan.

Dôn i ddim yn ffansïo'r syniad o gwbwl — os ydi
cefnder Gareth rhywbeth yn debyg iddo fo, dydw i ddim
isio'i weld o heb sôn am fynd efo fo. Ond mi bwysodd
Tracy arna i ac, a bod yn onest, rydw i wedi cael llond
bol o fod ar fy mhen fy hun. Mi gytunais i fynd nos Lun,
jest i drio. O! beth oedd ar fy mhen i? Rydw i'n siŵr y
bydd o'n hen gawr bach, hyll ac y bydd ganddo fo
blorod heintus a finnau yn y broses o gael gwared o fy
rhai i. O! sut bûm i mor anhygoel o wallgo o ddwl?

Dydd Sadwrn, Mehefin 30

Mae meddwl am y peth yn fy nghadw i'n effro. Beth ar
y ddaear wnaeth imi gytuno? Does gen i ddim syniad
sut foi ydi cefnder Gareth a Nerys. Ella'i fod o'n goman,
neu'n secs maniac, neu waeth. Ac rydw i wedi addo
mynd efo fo! Mae'n rhaid 'mod i'n hollol loerig, ond
fedra i ddim ailfeddwl rŵan. Mi fasai Tracy a Nerys yn
fy ngalw i'n fabi ac maen nhw'n ddigon sbeitlyd efo fi'n
barod.

Mi es i i lan y môr y pnawn 'ma i weld fedrwn i gael
rhywfaint o sens gan Nerys. Doedd 'na ddim pwynt imi
aros yn y tŷ. Roedd Dad yn brysur yn esbonio system
croesgyfeirio'r Cyngor Sir i Mam er mwyn iddi gael
ffeilio'i phapurau Greenpeace ac CND ac Amnesty a'r
holl bethau eraill sy'n bwysicach ganddi na'i merch ei

hun. Roedd Dad yn andros o lyfi-dyfi er ei bod hi'n hollol amlwg 'fod o'n mynd ar nerfau Mam ac y basai'n well ganddi heb ei 'help' o.

"Does gan y Cyngor Sir ddim byd gwerth cyfeirio ato fo," meddai hi'n flin. "A dan beth rwyt ti wedi rhoi'r papurau am Nelson Mandela? Dan 'A' am 'Arweinydd' ynteu dan 'G' am 'Gwleidydd'?"

"Dan 'N' am 'Nelson', cariad," meddai Dad yn syth. "Ond mi symuda i nhw'r munud yma os ydi'n well gen ti."

Rôn i wedi cael llond bol ac mi gychwynnais allan. Mi ddaeth Dad ar f'ôl i a sibrwd 'fod o am drefnu syrpreis i Mam at nos Wener nesa.

"Mi fydd hi'n ben-blwydd priodas arnon ni," meddai fo trwy gornel ei geg, gan edrych tros ei ysgwydd fel tasai fo'n torri'r *Official Secrets Act*. "Dwy flynedd ar hugain hapusa fy mywyd i! Rhaid inni ddathlu! Dim gair, cofia!"

Ac mi ruthrodd yn ôl at ei ddyletswyddau. Nefoedd! Rydw i'n dechrau amau'i fod o'n drysu, neu fod y *male menopause* 'ma'n beth gwaeth nag rôn i'n ei feddwl!

Pan gyrhaeddais i'r caffi ar lan y môr, roedd Tracy a Gareth wrthi'n cael paned. Ond, ymhen hir a hwyr, mi aethon nhw yn ôl at y mulod mae Gareth yn gofalu amdanyn nhw — neu'n hytrach y mulod sy'n gofalu amdano fo — ac mi ddaeth Nerys i eistedd efo fi am funud. Dydw i ddim wedi gweld llawer arni hi'n ddiweddar, ers iddi hi syrthio mewn cariad efo Dewi di-lun, y llinyn trôns llywaeth sy'n gweithio efo hi yn y caffi. Mae'n wir 'mod i wedi'i gweld hi neithiwr — ac, yn sicr, wedi'i chlywed hi — ond dôn i ddim wedi cael sgwrs efo hi ers tro.

Roedd gan Dewi ddiwrnod rhydd heddiw ac felly mi ges gyfle i holi am y cefnder.

"Welais i mono fo ers hydoedd," meddai hi, "ond o'r hyn rydw i'n ei gofio, faswn i ddim yn ei alw fo'n bisyn. Mwy o friwsionyn, a dweud y gwir. Mae o'n ofnadwy o fach. Ond dyna fo. Mae'n rhaid i ti fod yn ddiolchgar am friwsion, rhaid Del!"

Y gnawes! Sôn am godi calon rhywun! Mae ffrindiau i fod yn gefnogol ac yn llawn cydymdeimlad ond, efo ffrind fel Nerys, does gen i ddim angen gelynion.

"Rwyt ti'n lwcus mai *blind dêt* ydi o," meddai hi wedyn. "Fasai neb yn dy ddewis di efo'i lygaid yn agored. Pam 'na bryni di eli i drin y plorod 'na? Mi fedri fforddio'n iawn. Mae gen ti ddigon o bres!"

Mi sylweddolais i'r munud hwnnw beth oedd yn ei phigo hi. Dydi ei thad byth wedi cael gwaith yn yr ardal 'ma. Mae o wedi gorfod mynd i ffwrdd i weithio, ond swydd dros dro ydi honno. Mae hi'n eiddigeddus ofnadwy ohono i am fod gan Dad le saff yn y Cyngor Sir ac am nad ydw i'n gorfod gweithio dros yr haf. Ar ôl sylweddoli hyn, mi ges i ddigon o ras i wenu ac i ddweud wrthi am beidio â phoeni bod ei chefnder hi'n hyll ac y baswn i'n dod efo nhw nos Lun o ran cymwynas.

Ond dydw i ddim isio mynd. Yn enwedig os ydi'r cefnder 'ma'n fach. Mi fydda i'n edrych fel jiraff yn cael ei arwain gan fochyn cwta. Na, nid jiraff. Mae'r rheiny'n denau. Waeth imi fod yn onest, mi fydda i'n edrych fel hipopotamws, fel y basai Dylan yn dweud. O, mi leciwn i tasai fy mrawd mawr i wedi dod adre yn lle mynd i Loegr i hel mefus! Mi fasai'n braf cael dweud fy nghwyn wrtho fo. O mi leciwn i tasai rhywun yn y byd yn poeni amdana i.

Dydd Sul, Gorffennaf 1

Tybed fedra i redeg i ffwrdd? Neu ddweud 'mod i'n sâl? Mae'r plorod yn well o lawer ond maen nhw'n dal yn y golwg. Ella y medrwn i smalio bod y frech goch arna i, neu 'mod i'n *allergic* i rywbeth. O'r arswyd! Rydw i'n siŵr y bydda i'n *allergic* i gefnder Gareth. Fedr rhywun sy'n perthyn i hwnnw fod yn ddim byd ond lembo hyll, diflas. Beth oedd ar fy mhen i?

Dydd Llun, Gorffennaf 2

Whiw! Am noson anhygoel o fendigedig o ffantastig! Rydw i wedi gwirioni, ar ben fy nigon, yn y seithfed nef! Mae cefnder Nerys a Gareth yn BISYN!

Gethin ydi'i enw fo. Gethin Wyn Morgan. Mae o'n ddeunaw oed (newydd orffen ei Lefel A) ac yn ddelach nag unrhyw hogyn welais i yn fy mywyd erioed — mewn cylchgrawn na ffilm na, hyd yn oed, ar S4C! Mae ganddo fo wallt du, cyrliog, llygaid glas, teimladwy a chroen brown, iach heb gysgod o bloryn yn unman — wel, ddim ar ei wyneb o beth bynnag, a dyna'r cwbwl rydw i wedi'i weld wrth reswm. Ac mae o'n dal! Wrth gerdded efo fo ar hyd y stryd, rôn i'n teimlo'n fach ac yn eiddil ac yn anhygoel o lwcus.

Doedd gen i ddim mymryn o isio mynd, wrth gwrs. Roedden ni i gyd i fod i gyfarfod wrth y parc am saith o'r gloch ond, pan ddaeth yr amser, fedrwn i yn fy myw â chodi plwc i gychwyn. Mi ges fy nhemtio'n o arw i gynnig helpu Mam efo'i ffeilio — mae'r gegin yn dal ar goll dan fynydd o bapurau ac mae'n gas gen i feddwl sut olwg sydd ar fforestydd Brasil. Roedd y deisen foron a wnaeth Dad i swper (mae hwnnw'n mynd o ddrwg i waeth: mae 'na rywbeth *mawr* yn bod arno fo) yn un lwmp yn fy mol i, ac roedd fy nghoesau i'n crynu fel brwyn yn y gwynt ond eu bod nhw filwaith yn lletach.

"Dere mlân, Del!" meddai Tracy pan oedd hi'n chwarter i saith. "A phaid â becso cymaint. So ti'n mynd i gael torri dy ben, 'ti'n gwybod. A so fe am dy fwyta di — byddet ti'n rhoi bola tost iddo fe, ta beth!"

"Diolch yn fawr," meddwn innau gan drio bod yn urddasol a didaro. Ond ddeudais i ddim byd arall. Roedd fy llais i'n swnio'n uchel ac yn wichlyd, a dôn i ddim am i Tracy gael y syniad 'mod i'n nerfus. Wedi'r cwbwl, hogyn ydi hogyn ac, fel mae Mam yn dweud, does 'na ddim un ohonyn nhw'n werth gwneud ffŷs yn ei gylch.

Mi ddeudais i hynny drosodd a throsodd yn fy mhen wrth inni gerdded am y parc ac, erbyn inni gyrraedd, rôn i bron iawn wedi f'argyhoeddi fy hun y medrwn i ddioddef un noson, hyd yn oed tasai fo'n edrych fel model bach o anghenfil Loch Ness. Ond, pan welais i o, mi sylweddolais bod Mam ymhell, bell ohoni. *Mae* 'na rai hogiau sy'n werth gwneud ffŷs yn eu cylch. Mae 'na rai hogiau mae jest edrych arnyn nhw'n ddigon i symud y byd oddi ar ei echel, i wneud i fiwsig ganu yng nghlustiau rhywun ac i sêr ddawnsio o flaen y llygaid. Dyna ddigwyddodd i mi pan welais i Gethin. Prin y clywais i Tracy a'r lleill yn dweud eu bod am fynd i'r coed y tu ôl i'r parc a, phan siaradodd Gethin efo fi, roedd ei lais o'n swnio'n bell, bell i ffwrdd.

"Awn ni i'r stryd," meddai fo.

"Ia," meddwn innau. Ac yna, rhag ofn iddo fo feddwl 'mod i'n hogan fach nerfus oedd ddim isio bod efo fo, mi ruthrais i ychwanegu. "O ia! Syniad da! Grêt! Rydw i wrth fy modd ar y stryd!"

Mi edrychodd braidd yn od arna i, ond rôn i'n deall y rheswm yn iawn. Mi fetia i bod y Gareth hyll 'na wedi rhoi'r argraff 'mod i'n dew ac yn smotiau i gyd. A fasai Nerys, yn ei thymer ddrwg bresennol, ddim wedi cywiro'r argraff. Mae'n siŵr bod Gethin yn methu'n lân â chysoni'r disgrifiad gafodd o ganddyn nhw â'r ferch osgeiddig efo gwallt *perm* a chroen ciwcymber oedd yn cerdded wrth ei ochr. Am unwaith, rôn i'n gwybod 'mod i'n ddel ac yn ddeniadol. Roedd jest bod efo fo'n gwneud imi deimlo felly.

Mi stopiodd o ymhen dipyn a throi ei lygaid glas, rhyfeddol arna i. Roedden nhw fel dau ddarn o'r môr ar ddiwrnod o haf ac rôn i bron â boddi ynddyn nhw. Rôn i'n gwybod, yn berffaith, berffaith sicr, bod rhywbeth tyngedfennol o bwysig ar fin digwydd imi.

"Paned neu rywbeth?" meddai fo.

"Rhywbeth," meddwn i'n syth gan godi f'ysgwyddau at fy ngên yn fywiog a phryfoclyd. Wrth gwrs, yr hyn rôn i'n ei feddwl oedd 'Unrhyw beth. Dim ots gen i beth. Dim gwahaniaeth o gwbwl.' Ond mae'n rhaid ei fod o'n meddwl 'mod i'n cyfeirio at rywbeth arbennig achos mi drodd yn syth i mewn i dafarn oedd yn digwydd bod wrth law.

"Beth fydd hi?" meddai fo wedyn ar ôl imi'i ddilyn i mewn. (Rôn i wedi cymryd cip sydyn i lawr y stryd rhag ofn bod Mam neu Dad o gwmpas.)

"Fory? O braf, gobeithio!" meddwn innau gan wenu'n chwareus. Rôn i wedi sylweddoli, erbyn hyn, ei fod o'n swil ac, wrth gwrs, mae pobol swil wastad yn siarad am y tywydd. "Maen nhw'n ei haddo hi'n braf, diolch byth! Mae 'na gymaint mwy i'w wneud yma pan mae hi'n braf!" Ac mi driais i chwarddiad bach, awgrymog. Rôn i'n teimlo 'mod i'n llwyddo i swnio'n fywiog a brwd — ac wedi rhoi cyfle iddo fo sôn am gynlluniau at fory. Ond chymerodd o mo'r abwyd.

"Lysh," meddai fo. "Diod. Beth gymri di?"

Mae'n rhaid bod y creadur gorjys yn eithriadol o swil, meddwn i wrtho fy hun. Mi aethon ni i eistedd — fo efo'i beint o *lager* a fi efo fy hanner bach o seidar — ond, ar y dechrau, fedrwn i yn fy myw â'i gael i sgwrsio. Rôn i'n dweud pethau difyr fel, "Sut aeth yr arholiadau?" a "Mae'r seidar 'ma'n grêt!" a'r cwbwl rôn i'n ei gael yn ôl oedd, "Mm", ac "Y?" ambell waith. Roedd hi'n amlwg bod gan y boi broblemau ac o dipyn i beth, ar ôl iddo fo gael peint neu ddau arall i'w helpu i ymlacio, mi ges wybod beth oedden nhw. Mae ei fam a'i dad o wedi cael ysgariad. Dôn i ddim yn 'nabod neb roedd hynny wedi digwydd iddyn nhw o'r blaen — ar wahân i Tracy, wrth gwrs, ond dydi'i sefyllfa hi ddim yn union yr un fath achos fu'i thad a'i mam hi 'rioed yn briod. Rydw i'n gwybod am rai pobol yn yr ardal sydd wedi ysgaru ac, a dweud y gwir, mae'n syndod na faswn i'n 'nabod mwy achos maen nhw'n dweud bod un briodas ymhob tair yn gorffen felly'r dyddiau yma. Ond dôn i 'rioed wedi cael

sgwrs â rhywun sydd wedi mynd trwy'r peth ei hun er
'mod i wedi dychmygu'r effaith lawer gwaith — os ydi
Mam a Dad yn un o'r ddau bâr hapusa o bob tri, leciwn
i ddim byw yn yr un tŷ â'r trydydd.

Mae'n amlwg bod y peth wedi dweud yn reit ddrwg
ar Gethin. Mae'i dad o'n frawd i Mr Morgan, tad
Gareth a Nerys, ond dydi o ddim yn ei weld o'n aml —
dim ond am un dydd Sadwrn bob mis, a hynny ers pan
oedd o'n ddeuddeg oed. Dyna pam nad ydi o wedi
gweld llawer ar Nerys a'i theulu chwaith. Does ryfedd
nad oedd honno ddim yn cofio sut un oedd o — a
minnau wedi dechrau meddwl bod y gnawes wedi tynnu
arna i'n fwriadol!

Roedd Gethin wedi penderfynu y dylai ddod i 'nabod
teulu'i dad, meddai fo, ac wedi gofyn i Mrs Morgan a
gâi ddod i aros ar ôl gorffen ei arholiadau. Mae o wedi
bod yn un o ysgolion Cymraeg Clwyd ond mae o'n
gobeithio'i fod wedi gwneud yn ddigon da i fynd i'r
coleg ym Mangor fis Medi. Damia! Drapia las! Pam na
faswn i wedi gweithio'n galetach? Taswn i wedi gwneud
yn dda, mi fedrwn fynd yno ar ei ôl o ymhen dwy
flynedd.

Mi fuon ni'n sgwrsio am hydoedd — neu, o leiaf, mi
fu o'n siarad ac mi fûm innau'n gwrando'n llawn
cydymdeimlad. Mi ddeudodd ei fod o'n falch iawn ei
fod wedi dod i aros yma. Roedd o'n edrych arna i wrth
ddweud ac mi faswn i'n taeru bod deigryn yng nghornel
ei lygad glas o.

"Y mwg oedd yn gweud arno fe," meddai Tracy pan
ddeudais i'r hanes wrthi hi gynnau. "Mae pawb yn y
dafarn yn smoco fel simdde!"

Ond doedd hi ddim yno. Welodd hi mo'r ffordd yr edrychodd o arna i. A fasai hi byth yn deall, beth bynnag. Jest am ei bod hi mor galed ei hun ac yn medru anghofio am ei rhieni, fedr hi ddim cydymdeimlo efo person sensitif, teimladwy fel Gethin. Ond mi fedra i. Mi fedra i wrando ar ei drallodion o a bod yn gysur ac yn gefn iddo fo. O! gobeithio y gwela i o fory!

Dydd Mawrth, Gorffennaf 3

Does gen i ddim llawer o amser i sgwennu heno. Mae'n bwysig iawn 'mod i'n cysgu'n gynnar er mwyn edrych ar fy ngorau fory. Fory, rydw i'n mynd i lan y môr efo Gethin! Rydyn ni am fynd â phicnic efo ni ac aros yno drwy'r dydd. Ac mae'n siŵr y galwn ni mewn tafarn neu rywle ar y ffordd adre. Mae Tracy a Gareth yn dod efo ni yn anffodus, ond siawns na fedrwn ni'u colli nhw rywsut. Rydw i'n gwybod ei fod o isio bod ar ei ben ei hun efo fi.

Mi arhosais i yn y tŷ drwy'r dydd heddiw. Rôn i'n siŵr y basai fo'n ffonio neu'n picio draw neu rywbeth. Ond, erbyn amser te rôn i wedi sylweddoli'i fod o'n rhy swil — efo'r holl broblemau sydd ganddo fo, does ryfedd ei fod o'n gwbwl ddihyder ac yn ofni cael ei wrthod. Mi benderfynais fynd am dro i dŷ Nerys i gael sgwrs efo Mrs Morgan amdano fo. A dyna lle'r oedd o! Yn eistedd o flaen y bocs yn gwylio tenis ac yn edrych yn fwy gorjys na thomen o fefus a hufen!

"S'mai?" meddwn i wedi i Mrs Morgan fynd yn ôl i'r gegin i baratoi swper. Rôn i'n meddwl 'mod i'n swnio'n cŵl ac yn soffistigedig, ond ches i ddim ymateb. Roedd o'n syllu ar y sgrîn a'i ben yn symud yn ôl ac ymlaen — chwith, dde, chwith, dde, fel tasai fo ar linyn. Mi eisteddais i wrth ei ochr o, mor agos ag y medrwn i heb fod yn goman, a wnaeth o ddim symud i ffwrdd na dim! A dweud y gwir, mi roddodd ei law'n beryglus o agos at fy nghlun chwith i er mwyn estyn tudalen bapur newydd oedd yn dangos enwau'r holl chwaraewyr — rôn i wedi eistedd ar honno heb ei gweld hi. Wnaeth o ddim edrych ar y dudalen chwaith, dim ond ei smwddio efo'i lawes a'i gosod ar y llawr heb dynnu'i lygaid oddi ar y sgrîn. Roedd hi'n amlwg mai esgus i gael dod yn nes ata i oedd y cwbwl. Rôn i'n gwybod ei fod yn falch o 'ngweld i, neu o leiaf yn falch o 'nghael i'n agos — doedd o ddim wedi fy *ngweld* i mewn gwirionedd — ac rôn i'n teimlo drosto fo'n ofnadwy am ei fod yn rhy swil i ddangos ei deimladau. Mi benderfynais wneud pethau'n haws iddo fo.

"Mae'r boi gwallt coch 'na'n dal ei fat yn rhyfedd," meddwn i gan obeithio 'mod i'n swnio'n ddeallus.

"Raced," meddai fo heb droi'i ben. "Sh! Mae o'n serfio rŵan."

Fedrwn i ddim gweld sut y basai'r ffaith 'mod i'n siarad yn mharlwr Nerys yn effeithio ar rywun yn serfio yn Wimbledon, ond mi gaeais fy ngheg yn ufudd. Rôn i'n sylweddoli bod Gethin y teip i gymryd pethau o ddifri ac rôn i'n falch o hynny. Mi wyddwn i sicrwydd y basai fo'n fy nghymryd i o ddifri calon cyn hir iawn.

Mrs Morgan a awgrymodd y basai'n syniad inni fynd i'r traeth efo Tracy a Gareth fory — mae'r mulod yn cael diwrnod rhydd, a Gareth yn eu sgîl nhw.

29

"Mi wneith awyr iach les iti, Gethin," meddai hi'n glên.

"Mm," meddai yntau fel tasai fo ddim yn argyhoeddedig o hynny. O, mae o mor gryf ac mor dawel! Mae'n amlwg nad ydi o ddim yn un i wastraffu geiriau, ac mae'r ffaith iddo siarad cymaint efo fi yn y dafarn neithiwr yn dangos bod gynnon ni berthynas arbennig iawn. Ella na wneith yr awyr iach ddim lles iddo fo — mae Mam yn dweud bod hwnnw'n hollol afiach beth bynnag. Ond mi wna *i* les iddo fo, rydw i'n siŵr o hynny.

O, rydw i'n edrych ymlaen! Mae o'n hogyn mor sensitif ac mor ddwys ac rydw i'n gwybod y medrwn ni gael perthynas ystyrlon, ddofn. Mi fydda i'n help iddo fo — rydw i'n gwybod hynny hefyd. Wedi'r cwbwl, mi wn i'n iawn beth ydi byw efo rhieni sy'n ffraeo drwy'r amser ac mi fedra i ddweud wrtho fo nad ydi hynny ddim yn fêl i gyd ac y dylai fo gyfrif ei fendithion. Wna i ddim pregethu chwaith — dim ond gwrando'n llawn cydymdeimlad a gadael iddo fo grio ar f'ysgwydd i.

O'r nefoedd! Rydw i newydd feddwl! Os bydd o'n rhoi'i ben ar f'ysgwydd i, mi fydd ei lygaid o'n embaras o agos at y plorod sydd ar fy ngwddw: dydi'r rheiny ddim wedi clirio cystal â'r rhai ar fy wyneb gan na fedrwn i gael y darnau ciwcymber i aros arnyn nhw. O'r arswyd! Beth wna i? Mi fydd rhaid imi fynd i lawr i'r gegin y munud yma i weld oes 'na stwff salad yn y ffrij. Mae'n debyg y gwneith tomato neu letus y tro os ydi'r ciwcymber wedi gorffen.

*   *   *

Ych a fi! Rydw i wedi clymu sgarff am fy ngwddw i gadw'r tomatos yn eu lle — doedd 'na ddim ciwcymber. Rydw i am drio cysgu fel hyn ac, efo dipyn o lwc, mi fydd y plorod wedi clirio erbyn y bore. Mi wastraffais i oriau yn y gegin. Roedd Dad yno, yn eistedd wrth y bwrdd a phentyrrau o lyfrau coginio o'i flaen. Mae o wedi penderfynu cael parti yn y tŷ nos Wener, meddai fo, er mwyn arbed pres. Wn i ddim pam 'fod o'n poeni am hynny — dydi'r hwch ddim yn debygol o fynd trwy'r siop yn y Cyngor Sir! Beth bynnag, mae o wedi penderfynu rhoi syrpreis i Mam a gwneud y bwyd ei hun. Mi fedra i weld bod ganddo fo broblem — mae o'n giamstar ar gratio moron a ballu ond wn i ddim sut y daw o i ben â bwyd parti. Mae'n debyg bod Mam yn mynd i gynhadledd ar Fôr Iwerddon fory — hynny ydi, dyna bwnc y gynhadledd, nid ei lleoliad hi — ac mae Dad yn cymryd diwrnod rhydd er mwyn cael paratoi dipyn. Mi driodd fy mherswadio i i helpu ond mi eglurais bod gen i gynlluniau pwysig iawn.

"Pam na ofynni di i Cadi Cwc?" meddwn i wrth gychwyn i fyny efo'r tomatos. "Mae honno wrth ei bodd yn stwffio mysharŵms a ballu. Dyna'r unig *thrill* mae hi'n ei gael mewn bywyd."

Ond wnaeth o ddim ond claddu'i drwyn yn y llyfrau eto. Rydw i'n poeni'n arw amdano fo: mae o'n ymddwyn yn anhygoel o od y dyddiau yma. Wna i ddim poeni rŵan chwaith neu mi fydd gen i linellau hyll hyd fy wyneb fory. Ac mae'n bwysig imi edrych ar fy ngorau!

Dydd Mercher, Gorffennaf 4

O mae bywyd yn braf! Os bydda i fyw i fod yn gant a hanner a chael f'enw yn y *Guinness Book of Records*, cha i fyth ddiwrnod cystal eto.

Digon distaw oedd Gethin ar y dechrau ond doedd dim ots gen i am hynny. Rydw i'n lecio'r ffaith ei fod o mor dawel: mi fasai'n gas gen i gael fy ngweld efo ffŵl swnllyd, dwl fel Gareth sy'n neidio o gwmpas fath â gafr ar daranau ac yn malu awyr bob munud. Roedd Tracy a hwnnw'n waeth nag arfer heddiw. Roedd y ddau'n lluchio tywod at ei gilydd ac yn smalio rhedeg i ffwrdd. Wrth gwrs, roedd Gareth yn dal Tracy bob tro a honno'n sgrechian fath â chwningen mewn trap. Doedd hi ddim yn fy nhwyllo i am funud. Rydw i'n digwydd gwybod ei bod hi'n medru rhedeg fel milgi ac y basai hi'n medru dianc oddi wrth Gareth yn hawdd tasai hi isio: tydi'r lembo yna'n symud mor araf â'i fulod, a'r un mor stiwpid â nhw hefyd. Sôn am fabïaidd! Rôn i'n teimlo'n gall ac yn gyfrifol iawn yn eistedd yn daclus wrth ochr Gethin. Nid ein bod ni'n cael llawer o sgwrs: roedd o'n gwisgo clustffonau ar ei ben i wrando ar y tenis ac roedd hi'n amlwg o'r ffordd roedd ei ben o'n symud o'r chwith i'r dde ac o'r dde i'r chwith ei fod wedi ymgolli yn y gêm. Yr unig amser roedd o'n llonydd oedd pan oedd o'n cymryd llowc o un o'i ganiau *lager*.

O'r diwedd, mi benderfynodd Tracy a Gareth fynd am dro i'r twyni. Argol! Rhwng y ffilm ar fywyd gwyllt Tibet y noson o'r blaen, y coed wrth y parc echnos a'r twyni heddiw, mae'u gwybodaeth nhw o natur siŵr o fod yn cynyddu'n rhyfeddol. Mi fentrais i awgrymu i Gethin bod y twyni'n lle diddorol iawn, ond mi drodd oddi wrtho i'n ddigon swta. Mi sylweddolais yn syth, wrth gwrs, 'mod i'n swnio'n rhy wamal i hogyn sensitif fel fo ac mi grafais fy mhen am rywbeth mwy difrifol i'w ddweud.

Wedi pendroni'n hir, mi gliriais fy ngwddw a gofyn mewn llais meddal, teimladwy.

"Oes gen ti hiraeth am dy dad?"

Mi agorodd ei lygaid yn fawr a chodi'i aeliau'n uchel ac, am funud, rôn i'n ofni 'mod i wedi'i frifo'n ofnadwy wrth ofyn. Ond yna, mi sylweddolais nad oedd o'n clywed gair rôn i'n ei ddweud. Doedd dim amdani ond trio eto ac, er nad oedd y cwestiwn yn swnio llawn mor deimladwy o'i weiddi uwchben sŵn y radio, mi bwysodd y swits a thynnu'r clustffonau.

"Mae o'n mynd i fwrw'i fol, i ymddiried ynof fi," meddwn i wrtho fy hun. Mi setlais ar y tywod a throi tuag ato gan obeithio bod fy llygaid yn pefrio o dosturi a chydymdeimlad.

"Beth?" meddai fo.

Mi fu'n rhaid imi ofyn y trydydd tro ac erbyn hynny, taswn i'n berffaith onest, doedd dim llawer o ots gen i sut roedd o'n teimlo am ei dad: y cwbwl rôn i'i isio oedd cael ei sylw fo. Ac mi ges. Mi osododd y clustffonau ar y tywod ac mi ddechreuodd siarad a llowcian *lager* bob yn ail. Mi ddeudodd wrtho i 'fod o'n ddigon hapus efo'i fam ond 'fod o'n gresynu na fasai'n gweld ei dad yn amlach. Maen nhw'n colli 'nabod ar ei gilydd, meddai fo, achos y dydd Sadwrn cyntaf ymhob mis pan maen nhw'n cyfarfod, dydyn nhw ddim yn siarad llawer, dim ond yn mynd i barc i gicio pêl at ei gilydd.

"Mae'n siŵr bod dy dad yn deip cryf, tawel fel ti,"

meddwn i gan drio gwneud llais tebyg i'r ddynes Claire Rayner 'na glywais i ar y teledu ryw dro. Mae'n amlwg imi lwyddo achos mi gytunodd efo fi'n syth.

"Rydyn ni'n dau'n cael trafferth i siarad am sut rydyn ni'n teimlo," meddai fo'n drist. Ond yna — ac rydw i'n meddwl bod hyn yn dweud llawer am ein perthynas ni — mi aeth ati i fynegi'i deimladau. Mi fynegodd ac mi fynegodd am oriau, nes 'mod i bron â llwgu isio bwyd ac yn dechrau poeni y basai'r sŵn yn fy mol i'n tarfu ar yr hunanfynegiant. Ond O! Teimlad braf ydi cael perthynas mor agos ac mor ddwfn! Mi siaradodd am oriau a doedd ryfedd yn y byd 'fod o'n gorfod yfed cymaint o *lager*. Mae'n rhaid bod ei dafod o'n sych grimp, y creadur bach! Mi ddeudodd o filoedd o bethau wrtho i ac rydw i'n gwybod i sicrwydd nad ydi o 'rioed wedi'u dweud nhw wrth neb arall o'r blaen. Dim ond wrtho i!

Yn y diwedd, mi fu'n rhaid imi awgrymu'n bod ni'n mynd draw i gaffi Nerys i gael brechdan. Mewn nofelau dydi pobol byth isio bwyd pan maen nhw mewn cariad, ond roedd fy mol i'n cwyno'n o arw, waeth beth am fy nghalon i. Mi gerddon ni ar draws y traeth ac mi ofalais i adael i fy llaw hongian wrth fy ochr a tharo'n ddamweiniol bron yn erbyn ei law o bob hyn a hyn. Rôn i'n gwybod ei fod o'n boenus o swil a dim ond isio dipyn bach o anogaeth, ac rôn i yn llygad fy lle achos, cyn inni gyrraedd y caffi, roedd o wedi cydio yn fy llaw a phlethu'i fysedd trwy fy mysedd i. Whiw! Mae jest cofio am hynny'n anfon iasau oer i lawr fy nghefn i.

Mi agorodd Nerys ei llygaid led y pen pan aethon ni i mewn i'r caffi a gofyn am ddwy baned o OXO a dwy frechdan ham. (Dydw i ddim yn lecio'r un o'r ddau a dweud y gwir, ac mi fasai Mam yn cael ffit tasai hi'n gwybod 'mod i'n bwyta buwch a mochyn efo'i gilydd, ond roedd cymryd yr un peth â Gethin yn gwneud imi deimlo'n agos, agos ato fo.) Wedi inni eistedd i lawr, mi aeth Nerys heibio efo llond hambwrdd o lestri ac mi blygodd drosto i a hisian.

"Beth ar y ddaear wyt ti'n ei weld yn hwnna?"

Sôn am ddigywilydd! Roedd hi'n ddigon balch o 'nghael i i gadw cwmni iddo fo echnos pan oedd hi isio mynd i'r coed efo'r llipryn Dewi 'na. Roedd hwnnw wrthi'n sychu bwrdd wrth f'ymyl i ac yn edrych yn ddigon tebyg i gadach llestri ei hun. Mae o mor llipa, rydw i'n amau'n gry a oes ganddo fo asgwrn cefn. Ac mae Gethin mor gorjys o gyhyrog!

Mi ddeudais i gymaint â hynny wrth Nerys y tro nesa iddi fynd heibio — dan fy ngwynt, wrth reswm.

"O mae'i gorff o'n iawn," meddai hithau gan smalio plygu i estyn rhywbeth. "Ei bersonoliaeth o sy'n ddiflas."

Mae'n amlwg nad ydi hi 'rioed wedi medru'i gael o i siarad. Dydi o ddim yn ymddiried ynddi hi fel y mae ynof fi, er ei bod hi'n gyfnither iddo fo. O, rydw i'n teimlo mor falch! I feddwl 'fod o wedi cadw'i boen iddo fo'i hun am flynyddoedd ar flynyddoedd nes iddo fy nghyfarfod i! Ond fydd o byth yn unig eto. Mi faswn i'n fodlon treulio oes yn gwrando arno fo'n mynegi'i deimladau.

Ches i ddim treulio heno'n gwrando arno fo chwaith. Roedd o isio gweld y tenis a doedd gen i ddim dewis ond dod adre at fy rhieni annwyl. Pan gyrhaeddais i, roedd y ddau'n eistedd yn yr ardd ac mi ddeudais i'r hanes wrthyn nhw. Rôn i'n meddwl y basai Mam yn llawn edmygedd ohono i — wedi'r cwbwl, hi sydd wastad yn pregethu y dylen ni helpu pobol llai ffodus na ni'n hunain — ond y cwbwl a ddeudodd hi oedd,

"Mae dynion bob amser yn licio siarad amdanyn nhw'u hunain. Mae dy dad wedi 'nghadw i allan yn fan'ma ers imi gyrraedd adre, yn siarad am ei waith — fel tasai gen i unrhyw ddiddordeb. Dydi o ddim wedi gadael imi fynd yn agos at y tŷ eto."

A phan es i i mewn i'r gegin, mi ddeallais pam. Roedd hi fel tasai hi wedi bwrw eira yno a'r llygredd yn yr amgylchedd wedi troi'r eira'n frown. Roedd blawd cyflawn am a welech chi hyd bob man, a darnau o grwst yma ac acw fel tasai plastr wedi disgyn o nenfwd budr. Mi ddaeth Dad i mewn ar f'ôl i a chau'r drws yn ddistaw.

"Ches i ddim llawer o hwyl ar y *quiche*," meddai fo. "Mi fydd rhaid meddwl am strategaeth newydd at nos Wener."

Iesgob! Mae o'n mynd i siarad mwy fel cofnodion Cyngor Sir bob dydd! Rôn i'n agor fy ngheg i ofyn oedd o am ffurfio is-bwyllgor i ystyried y mater, pan sylwais 'fod o'n gwenu'n gam ac yn estyn puntan imi.

"Wnei di glirio, Del?" meddai fo gan drio'i orau i edrych fel hogyn bach mewn trwbwl. "Mi a' i â Mam allan i rywle am awr."

Rôn i ar fin gwrthod yn bendant a dweud 'mod i'n cynnig pleidlais o ddiffyg ffydd ynddo fo, ond yna mi feddyliais y basai'n reit braf cael dipyn o bres yn fy mhoced.

"Pump," meddwn i gan estyn fy llaw.

"Tair," meddai yntau. "Fedra i ddim fforddio mwy, Del."

Ac mi ruthrodd allan cyn imi gael cyfle i fargeinio. Mi gwelwn o'n codi Mam ar ei thraed ac yn rhoi sws fawr iddi cyn ei thynnu at y car. Mi ddylwn i fod yn falch eu bod nhw'n ffrindiau, mae'n debyg, ond fedra i ddim peidio â theimlo bod 'na rywbeth od iawn ar gerdded.

Fel arfer, mi fasai'n gas gen i glirio'r gegin ond, heno, rôn i mor hapus mi faswn i wedi clirio tomen sbwriel y cyngor heb gwyno. Rydw i'n gwybod, yn berffaith, berffaith sicr mai fi ydi'r ateb i broblemau Gethin. A fo ydi'r pisyn y bûm i'n chwilio amdano ar hyd fy oes!

Dydd Iau, Gorffennaf 5

Nefoedd! Am noson! Rydw i newydd fod yn socian yn y bàth am dros awr ond mae 'na domennydd o flawd yn dal dan fy ewinedd ac oglau garlleg o hyd yn gry ar fy ngwallt. Mi aeth Tracy i'r stafell molchi ar f'ôl i ac rydw i'n ei chlywed hi rŵan yn sgwrio a rhegi ac yn tasgu dŵr dros bob man wrth smalio'i bod yn dyrnu Cadi Cwc. A'r cwbwl, hyd y gwela i, am fod Dad isio profi i Mam, neu iddo fo'i hun, neu i rywun arall, bod ganddo fo briodas hapus.

Mi gyrhaeddais i adre o'r traeth tua hanner awr wedi chwech. Rôn i wedi cael diwrnod bendigedig eto yn eistedd yn gwrando ar Gethin yn llowcio *lager* ac yn datgelu cyfrinachau'i galon. Rôn i'n teimlo'n bod ni'n datblygu perthynas wir ystyrlon.

Dôn i ddim yn rhy siomedig pan ddeudodd o'i fod o isio treulio'r gyda'r nos yn gwylio'r tenis. Roedd hi'n hawdd deall bod arno fo angen ymlacio ar ôl y straen o gyfathrebu'n iawn ac, a dweud y gwir, rôn i'n teimlo y basai ymlacio'n gwneud lles i minnau. Wn i ddim sut mae pobol fel gweithwyr cymdeithasol yn dod i ben: mae ymateb yn gadarnhaol ac yn llawn cydymdeimlad i broblemau rhywun arall yn goblyn o waith blinedig.

Ond ches i ddim cyfle i ymlacio. Y peth cynta a welais i wedi mynd i'r gegin oedd nodyn gan Dad yn egluro'i fod wedi mynd â Mam i'r pictiwrs a bod Cadi Cwc yn dod draw i baratoi at y parti. Roedd o'n gobeithio'n arw y basai Tracy a minnau'n ei helpu. Wyddwn i ddim beth i'w feddwl ac mi es i eistedd i'r stafell fyw i ddod dros y sioc. A beth oedd yn fan'no ond nodyn arall yn dweud yr un peth yn union. Ac mi ddes o hyd i drydydd yn fy llofft wedyn. Mae'n siŵr bod arno fo ofn imi beidio â'u gweld nhw, neu ella'i fod o wedi mynd i'r arfer o wneud popeth yn driphlyg yn y Cyngor Sir.

Pan ddaeth Tracy i'r tŷ ychydig ar f'ôl i, mi fu bron iddi hi gael ffit driphlyg.

"So fi'n codi bys bach i helpu'r fenyw 'na," meddai hi'n bendant. "Dere! 'Ni'n mynd mas!"

Mi gydiodd yn fy mraich a'm llusgo ar frys am y drws cefn. Ond pan agoron ni hwnnw, pwy oedd yn sefyll yno a llond ei hafflau o offer coginio ond Cadi Cwc, heb wên o fewn tua dau gan milltir i'w hwyneb.

"Reit, genod," meddai hi. "Cariwch y bocsys o'r car i ddechrau. Wedyn, golchwch eich dwylo."

"Mae hi'n swno fel arwydd mewn tŷ bach cyhoeddus!" meddai Tracy dan ei gwynt ac mi es i i ffitiau o chwerthin wrth feddwl mor addas oedd wyneb *deadpan* yr hen Gadi!

Ond ufuddhau wnaethon ni'n dwy: doedd yr un ohonon ni'n ddigon dewr i wrthod. Mi roddodd Cadi ni ar waith yn syth i dorri nionod a garlleg a phob math o bethau drewllyd eraill tra'i bod hi'n estyn celfi ac yn mwmial sylwadau sbeitlyd fel,

"Wrth ei chypyrddau y mae adnabod dynes," a "Dylai gofal am yr amgylchfyd ddechrau yn y cartref."

Rôn i'n gweld Tracy'n mynd yn fwy piws wrth y funud, a phan ddaeth Cadi i sefyll uwch ei phen i wneud yn siŵr ei bod yn ffrio'r garlleg a ballu'n iawn, roedd hi'n amlwg ei bod ar fin ffrwydro.

"Trowch nhw yn y saim, hogan!" meddai Cadi yn ei hen lais surbwch. "Mae'n amlwg eich bod chi'n byw ar duniau yn y tŷ 'ma!"

Rôn i'n meddwl bod Tracy am wagio cynnwys y badell ar ben y jadan hyll ond, yn lle hynny, mi wenodd yn ddel a gofyn,

"Wnewch chi ddangos imi, Miss Morris? So i'n siŵr odyn nhw'n cwcan yn iawn."

"Argol!" meddwn i wrtho fy hun. "Beth sy'n bod ar hon?" Rôn i'n amau ers tro'i bod hi'n gobeithio cael cadw tŷ i Gareth ryw ddydd ond wnes i 'rioed freuddwydio y basai hi'n fodlon cymryd gwersi gan Cadi Cwc.

"Tydi cariad yn beth mawr!" meddwn i trwy gornel fy ngheg, ond mi ges wybod yn fuan iawn 'mod i ymhell ohoni. Wrth i Cadi blygu dros y cymysgedd drewllyd, mi roddodd Tracy'i llaw'n sydyn yn y sinc a'i chwifio wedyn uwchben y badell. Mi dasgodd saim dros bob man ac mi neidiodd Cadi'n ôl fel tasai rhywun wedi trio'i chusanu!

"O mae'n ddrwg 'da fi, Miss Morris!" meddai Tracy'n llawn consýrn ffug gan ruthro i sychu'r wyneb seimllyd â chadach llestri. Ond rywsut — yn hollol anfwriadol, meddai Tracy wedyn gan wincio arna fi — mi aeth un pen i'r cadach i'r ddysglaid o bowdwr cyri oedd gan Cadi'n barod ar y cownter. A phan orffennodd Tracy rwbio, roedd yr hen gnawes yn edrych fel tasai hi wedi dal haint ofnadwy — ei chroen yn felyn, afiach, ei llygaid yn dyfrio a hithau'n tisian yn ddi-stop.

Mi gafodd Tracy bregeth hirfaith ac mi smaliodd hithau'i bod yn ymddiheuro'n ofnadwy. Mi helpodd Cadi i olchi'i hwyneb ond rywsut — trwy ddamwain eto! — mi redodd y dŵr yn rhy boeth ac mi aeth pethau o ddrwg i waeth. Rôn i'n hanner gobeithio y basai Cadi'n rhoi'r ffidil yn y to ac yn mynd, ond er nad ydi'r jadan yn bwyta bwyd tun, mae hi wedi'i gwneud o haearn.

"Ymlaen â ni, genod!" meddai hi yn yr un llais â rhywun sy'n arwain catrawd o filwyr i'r gad. Mi fuon ni'n tair wrthi heb siarad am dipyn — Tracy a minnau'n paratoi llysiau a stwffin tra bod Cadi'n diberfeddu tomatos ac yn gwneud pob math o bethau ffansi efo saws a hufen. Ond pan ddeudodd ei bod yn amser rhoi'r stwffin yn y tomatos, mi gafodd Tracy ddigon.

"Mae bywyd yn rhy fyr i wneud shwt bethe twp!" meddai hi gan gerdded yn benderfynol am ei llofft. Wnaeth Cadi ddim galw ar ei hôl, dim ond codi'i hysgwyddau — rydw i'n meddwl bod arni dipyn o ofn Tracy yn y bôn — ac amneidio arna i i stwffio'r blwmin pethau.

A dyna fûm i'n ei wneud am oriau ac oriau nes iddi ddweud yn y diwedd,

"Does 'na ddim pwynt clirio llawer. Gadael y lle fel roedd o ddeudodd eich tad."

Mi gasglodd ei phethau i focs ac i ffwrdd â hi. Ond mi fu'n rhaid i mi glirio. Wedi'r cwbwl, roedd hi'n amlwg bod cadw'r cynllun yn gyfrinach yn ofnadwy o bwysig i Dad a dôn i ddim isio'i adael o i lawr. Mi ddaeth Tracy i helpu, chwarae teg, ar ôl imi fod i fyny'n egluro'r sefyllfa. Mi fuon ni'n dwy wrthi'n sgwrio a stachu am hydoedd a phan orffennon ni — jest cyn i Mam a Dad gyrraedd adre — roedd y gegin yn lanach nag y bu hi ers i Mam benderfynu achub y byd.

Erbyn hyn, mae'r twll dan grisiau a chypyrddau'n llofftydd ni'n dwy'n orlawn o *quiches* a *vol au vents* a thomatos wedi'u stwffio a phob math o bethau eraill. Gobeithio yr eith y parti'n iawn ac y bydd Mam yn gwerthfawrogi'r holl ymdrech. Hei! Rydw i newydd gael andros o syniad ffantastig! Mi wna i wahodd Gethin. Mi fydd yn gyfle iddo fo gyfarfod Mam a Dad a gweld sut mae teulu normal yn byw. Ac os daw o, mi fydd yr holl oriau o slafio i Cadi Cwc wedi bod yn werth chweil wedi'r cwbwl!

Dydd Gwener, Gorffennaf 6

Rydw i am sgwennu dipyn rŵan, rhag ofn na cha i ddim amser cyn mynd i'r gwely. Mae popeth yn barod ar gyfer y parti. Mi aeth Dad â Mam allan yn y car gan smalio'u bod nhw'n mynd i gael pryd mewn gwesty, ac mae Tracy a finnau wedi bod yn brysur yn estyn y bwyd a'i osod yn ei le. Doedd y pethau'n edrych fawr gwaeth ar ôl treulio noson a diwrnod yn ein llofftydd ni. Yr unig anffawd oedd bod Tracy wedi anghofio bod ganddi domatos wedi'u stwffio yng ngwaelod ei chwpwrdd dillad ac wedi lluchio'i phymps ar eu pennau nhw. Ond rydyn ni wedi cael y rhan fwya o'r tywod ohonyn nhw ac, fel mae Tracy'n dweud, a barnu wrth yr holl boteli o blonc rhad mae Dad wedi'u cuddio yn y garej fydd neb yn medru dweud y gwahaniaeth rhwng tywod a thomatos erbyn diwedd y noson.

Roedd gwneud yr holl baratoadau ar frys gwyllt yn eitha blinedig ac rôn i'n ei gweld hi'n braf iawn ar Dad yn mynd rownd a rownd yn y car tra'n bod ninnau'n slafio. Ond doedd dim gwahaniaeth gen i go iawn. Rôn i'n falch o gael cyfrannu ac rôn i'n tu hwnt o awyddus i bethau edrych yn iawn. Mae Gethin yn dod! Mae o'n dod i fy nhŷ i, i gyfarfod fy nheulu! Ac unwaith y ceith o'i draed dan y bwrdd, rydw i'n siŵr y gwneith o ymlacio a mwynhau ei hun.

Ar y dechrau, doedd o ddim fel tasai fo ar dân isio dod. Mi es i i dŷ Nerys y bore 'ma i estyn y gwahoddiad gan obeithio y basai fo ar ei ben ei hun. Ond, yn anffodus, roedd gan Nerys fore rhydd a fedrwn i ddim yn hawdd iawn ei rhwystro hi rhag fy nilyn i i'r stafell fyw lle'r oedd Gethin yn gwylio'r teledu. Wnaeth o ddim cymryd llawer o sylw ohono i pan es i i mewn. Rôn i'n deall yn iawn, wrth gwrs. Mae o wastad yn swil pan mae pobol eraill o gwmpas — dim ond efo fi mae o'n medru ymlacio. Mi soniais am y parti ac mi ddeudodd o "Mm" gan gadw'i lygaid ar y sgrîn. Wnaeth o ddim ysgwyd ei ben a dôn i ddim yn siŵr a ddylwn i gymryd hynny'n arwydd gobeithiol ai peidio.

"Mi ddaw os oes 'na lysh yno," meddai Nerys dan ei gwynt. "Dyna'r unig beth sy'n ei fywiogi o dipyn."

Gethin druan! Dydi ei deulu o'i hun ddim yn ei ddeall o. Does ryfedd bod arno fo f'angen i.

"Oes 'na wahoddiad i bawb?" meddai Nerys wedyn. "Mi ddaw Dewi a finnau. A Gareth, mae'n siŵr."

Dôn i ddim yn ddigon dewr i wrthod, er bod meddwl am fod yn yr un lle â'r llipryn Dewi a'r lembo Gareth na'n troi fy stumog i. Wrth gwrs, fydd dim rhaid imi siarad llawer efo nhw. Mi fydd Gethin a finnau'n gwmni i'n gilydd a fydd arno fo ddim angen diod tra 'mod i o gwmpas.

Mi eglurais i i Nerys beth oedd pwrpas y parti er mwyn iddi ddeall mai peth reit sidêt fydd o ac i rybuddio'i brawd gwirion i'w fyhafio'i hun. Pan ddeudais i am Cadi Cwc a'r bwyd, mi agorodd ei llygaid yn fawr.

"Mae rhaid bod dy dad yn talu ffortiwn," meddai hi, "neu fasai'r gnawes byth yn dod yn agos at gegin dy fam. Dydi hi ddim yn beth faset ti'n ei alw'n hoff ohoni hi, nac ydi?"

Erbyn meddwl, roedd hi'n iawn. A fedra i ddim credu bod Dad wedi talu llawer i Cadi chwaith; mae o'n grintachlyd o gynnil efo'i bres yn ddiweddar. Ond, cyn imi gael cyfle i gnoi cil ar hyn, mi ddeudodd Nerys rywbeth wnaeth imi ddechrau poeni o ddifri.

"Ella bod gan Cadi grysh ar dy Dad," meddai hi. "Neu ella bod gan dy dad grysh arni hi a bod yr holl beth yn esgus i'w chael hi i'r tŷ."

"O, paid â malu awyr!" meddwn innau'n ddigon blin. Newydd roi'r gorau i bryfocio am Mam a Parri Bach mae'r genod, a fedrwn i ddim dioddef iddyn nhw ddechrau arni am Dad a Cadi Cwc. Lol ydi hynny, beth bynnag. Doedd Dad ddim yn y tŷ yr un pryd â Cadi Cwc — mi ofalodd fynd allan a gadael Tracy a minnau ar ei thrugaredd hi. Ond mae Nerys wedi gwneud imi ddechrau meddwl. Ella'i fod o mewn cariad efo rhywun — rhywun iau a mwy deniadol na Cadi Cwc. Ac ella mai er mwyn twyllo Mam i feddwl bod popeth yn iawn mae o'n trefnu'r parti 'ma. Wedi'r cwbwl, roedd y ddau'n ffraeo fath â chi a chath wythnos yn ôl. O'r arswyd! Ella'i fod o'n cael *affair* ac ella y bydd fy rhieni i'n ysgaru fel rhai Gethin a finnau'n mynd yn fewnblyg ac yn methu mynegi fy nheimladau.

O, beth wna i? Mi fydd rhaid imi gadw llygad barcud ar Dad heno, hyd yn oed os ydi hynny'n golygu y ca i lai o amser efo Gethin. O, gobeithio nad ydi o am wneud rhywbeth gwirion yn ei henaint!

Dydd Sadwrn, Gorffennaf 7

Rydw i wedi dod i'r gwely'n gynnar — mae gen i gymaint i feddwl amdano fo a chymaint o bethau rydw i isio'u sgwennu i lawr er mwyn cael eu cofio nhw am byth. Neithiwr, mi fûm i'n cusanu efo Gethin! Yn snogio go iawn, ac roedd o'n brofiad arallfydol o wefreiddiol o hardd! O, mi fedra i deimlo'i ddwylo fo rŵan yn crafangu i 'nghefn i — a dweud y gwir, synnwn i ddim nad oes gen i gleisiau i brofi'r peth ond, er imi fy nhroi fy hun bob siâp, fedra i ddim gweld yn y drych a fedra i ddim yn hawdd iawn ofyn i rywun arall edrych.

Mi fedra i deimlo'i wefusa fo hefyd, yn gynnes ac yn wlyb ar fy ngheg i. O! Rydw i'n colli fy ngwynt jest wrth feddwl am y peth! Rôn i'n colli fy ngwynt neithiwr hefyd: roedd ei gusanau fo mor hir ac, ar un amser, rôn i'n dechrau poeni 'mod i'n mygu. Sut mae pobol yn dod i ben? Tybed ydyn nhw'n troi'u trwynau i'r ochr er mwyn anadlu, neu'n cadw un gornel fach o'u cegau'n glir? Ella y medrwn i holi Tracy neu Nerys yn gynnil. Mi fasai'n rhaid imi fod yn ofalus: faswn i ddim yn lecio iddyn nhw gael y syniad 'mod i'n ddibrofiad, achos dydw i ddim ar ôl neithiwr. Does dim ots gen i bellach os bydda i'n hen ferch; does dim ots gen i os na wneith yr un hogyn sbio arna i byth eto. Mi fedra i ail-fyw snogio Gethin drosodd a throsodd ac mi wneith hynny fy nghadw i'n hapus. Mi fydd yn ddigon i mi ar hyd fy oes!

Ew! Rydw i wedi blino'n lân. Mi ges i noson hwyr neithiwr a diwrnod diawchedig o brysur heddiw. Mi fu Mam a Tracy a finnau wrthi'n clirio llanast y parti drwy'r dydd. Wnaeth Dad ddim codi bys bach i helpu. Mi aeth am jog y bore 'ma ac i chwarae sboncen wedyn ar ôl cinio o letus a moron wedi'u gratio: mae'n amlwg ei fod o'n teimlo iddo or-wneud pethau neithiwr.

Roedd andros o dymer ddrwg ar Mam. Roedd hi'n martsio o gwmpas y tŷ'n codi darnau o *vol au vents* a *quiches* ac yn dweud pethau fel,

"Fel hyn mae hi bob amser — dynion yn cael sbort a merched yn gorfod cael trefn ar bethau wedyn! Does ryfedd bod 'na ffasiwn lanast yn y byd 'ma!"

Mi fentrais i awgrymu mai parti a gawson ni, nid

rhyfel na sesiwn llygru'r amgylchedd, a bod pawb wedi cael amser da.

"Yr un egwyddor ydi o," meddai hithau'n ddigon swta. "Mae dynion yn mwynhau gwneud llanast. Maen nhw wrthi ers canrifoedd — ers pan falodd Josua waliau Jericho!"

Mi welwn i nad oedd dim pwynt ymresymu efo hi ac mi es allan i'r ardd i hel gwydrau: dôn i ddim isio clywed rhestr hyd braich o droseddau dynion o'r Hen Destament i Ogledd Iwerddon. Erbyn meddwl, dynes ydi Margaret Thatcher — medden nhw, beth bynnag — ac, yn ôl Mam, mae honno wedi gwneud mwy o lanast na neb. Argol! Mae Mam yn medru bod yn anghyson!

A dweud y gwir, does 'na ddim byd yn gyson iawn yn Dad chwaith. Drwy'r wythnos yma, doedd 'na ddim yn ormod ganddo fo'i wneud i blesio Mam ond heddiw mae o fel tasai fo wedi anghofio am hynny. Mae'n debyg ei fod o'n teimlo iddo brofi rhywbeth wrth drefnu'r parti ac y medr o rygnu ymlaen rŵan am ddwy flynedd ar hugain arall heb drio rhyw lawer. Argol! Mi fasai'n gas gen i fyw fath â fo a Mam, yn clochdar ar ei gilydd fel dau geiliog ar ben doman un munud ac yn lyfi-dyfi i gyd y munud nesa. Diolch bod gan Gethin a finnau berthynas ddofn, ystyrlon!

Edrych ar y tenis mae Gethin heno. Dydw i'n gweld dim bai arno fo. Wedi'r cwbwl, dyma noson olaf Wimbledon ac rydw i'n lwcus iawn ei fod o wedi dod neithiwr. Roedd hynny'n dangos cymaint o feddwl sydd ganddo ohonof fi achos un swil, mewnblyg sy'n hoffi bod ar ei ben ei hun ydi o wrth natur. Roedd hi'n andros o aberth iddo fo ddod i'r parti.

Ond rydw i'n gwybod ei fod o wedi mwynhau. Mi gymerodd dipyn o amser iddo fo ymlacio, mae'n wir. Ar y dechrau, wnaeth o ddim byd ond eistedd wrth y rhododendrons yn yfed *lager*. Mi driais i fy ngorau i gychwyn sgwrs trwy wneud gosodiadau sensitif fel, "Mi fydd dy dad yma wythnos i fory," ac "Mae'n siŵr dy fod ti'n teimlo fel pêl denis, yn cael dy daro'n ôl ac ymlaen rhwng dy rieni," ond doedd ganddo fo fawr i'w ddweud. Rôn i'n cydymdeimlo'n ddwys efo fo: mi fedra i'n hawdd gredu bod y criw oedd acw neithiwr yn gwneud iddo ddifaru'i fod wedi mentro o'i gragen.

Roedd Parri Bach a Dad am y gorau'n dangos eu hunain. Mi wnaeth Dad araith chwydlyd am y trysor roedd o wedi'i gael wrth ffendio Mam — roedd o'n gwneud iddi swnio fel broc môr neu rywbeth. Mi roddodd ei freichiau amdani a'i chusanu o flaen pawb ac mi roddodd hithau ergyd ddigon egr iddo yn ei fol a hisian dan ei gwynt,

"Ddim rŵan, Elfyn! Mae 'na le i bob dim."

"A lle i fwynhau ydi fan'ma!" meddai Dad cyn gweiddi dros bob man, "Pwy sy'n barod am ddiod arall?"

Chymerodd o ddim mwy o sylw o Mam, dim ond mynd o gwmpas yn hwrjo lysh ar bawb fel tasai fo'n gweithio mewn tafarn neu'n cael comisiwn gan y bobol sy'n gwneud y stwff. Doedd dim rhaid iddo fo hwrjo dim ar Parri Bach chwaith. Roedd hwnnw'n sefyll ar ganol y lawnt a photel o win coch yn ei law yn datgan rhyw rwtsh am 'flas y cynfyd yn aros fel hen win' fel tasai fo ar lwyfan y Genedlaethol.

"Blas y cynfyd, myn uffach i!" meddai Tracy wrth

iddi hi a Gareth fynd heibio imi. "Bydde byw mewn ogof yn siwto'r jawl 'na'n iawn. A ta beth, does dim gwin yn cael siawns i fynd yn hen tra bo fe o gwmpas!"

Mi ddiflannodd hi a Gareth y tu ôl i'r rhododendrons wedyn — mae'u diddordeb nhw mewn natur yn fy syfrdanu i wir!

Ches i ddim aros efo Gethin drwy'r gyda'r nos. Mi alwodd Mam arna i i fynd â bwyd i bobol. Pan es i i'r gegin i nôl y pethau, dyna lle'r oedd Nerys a Dewi dilun yn snogio wrth y sinc — Nerys efo brwsh golchi llestri yn un llaw a Dewi'n dal cadach. Rydw i'n dechrau amau bod hwnnw'n teimlo'n noeth os nad oes 'na gadach rhywle'n agos: mae'n siŵr bod ar y llipryn angen llestri budr i'w droi o *on*, fel maen nhw'n dweud mewn cylchgronau!

"Mae dy ffrindiau di'n helpu, chwarae teg iddyn nhw," meddai Mam oedd wedi dod i mewn y tu ôl imi. "Mae'n dda gweld pobol ifanc yn cymryd cyfrifoldeb."

Wnes i ddim rhoi cyfle iddi edliw i mi 'mod i wedi treulio awr wrth y rhododendrons yn gwrando ar Gethin. Mi gipiais blatiad o ddanteithion ac mi fentrais allan eto. Erbyn hynny, roedd Parri Bach wedi'i osod ei hun wrth draed Helen, dynes hynod o ddymunol sy'n gweithio efo Dad, ac wrthi'n ei diflasu hi efo'i ddamcaniaeth boncyrs ynglŷn â phryd yn union y creodd Gwydion Flodeuwedd.

"Mae'n rhaid bod yr erwain, y banadl a'r deri yn eu blodau ar yr un pryd," meddai fo. "Ac mae hynny'n ddiddorol iawn achos yn y gwanwyn mae'r banadl yn blodeuo, a'r eithin yn yr haf."

"Ella bod 'na dwll yn yr osôn yn drysu pethau amser

hynny hefyd,'' meddwn i gan wthio tomato wedi'i stwffio i'w ddwylo poeth o. Rôn i'n meddwl 'mod i wedi gwneud sylw treiddgar iawn ond chymerodd o ddim sylw ohono i na'r tomato, dim ond plygu ymlaen, nes bod ei drwyn blewog o bron â chyffwrdd gwddw Helen druan. Ac er na fedrwn i weld, rôn i'n berffaith siŵr bod y blew'n ysgwyd fel banadl mewn storm. Fel 'na mae o pan mae o'n cynhyrfu, meddai Nerys. Ac mae hi yn llygad ei lle. Mae o'n andros o secs maniac!

Rôn i'n falch o weld Dad yn achub Helen wedyn ac yn ei harwain i ffwrdd i weld y domen gompost ym mhen draw'r ardd. Mam sy'n gyfrifol am y compost, wrth gwrs, a wyddwn i ddim o'r blaen bod gan Dad ddiddordeb o gwbwl, ond mi safodd yno am hydoedd yn siarad efo Helen. Dydi Dad ddim y boi mwya difyr yn y byd, ond mae'n siŵr bod gwrando arno fo'n traethu am gompost yn well na gorfod dioddef Parri Bach yn malu awyr. Rôn i'n falch iawn ei fod wedi tosturio wrth Helen. Mae hi'n andros o ddynes neis.

Mi es o gwmpas am dipyn wedyn i fod yn glên ac yn gwrtais, fel y gweddai i ferch y tŷ. Mi ddylai fod Dylan yno i helpu ond roedd hwnnw wedi anfon neges i ddweud na fedrai ddod — mi fasech yn meddwl bod y cynhaeaf mefus yn dibynnu'n llwyr arno fo! Mi ges sgwrs efo Jean a Hanna Meri. Mae'r ddau wedi priodi erbyn hyn ond, yn amlwg, heb gael amser i ddiflasu ar ei gilydd eto. Ychydig fisoedd yn ôl, mi faswn i wedi gwirioni o gael bod yng nghwmni Jean ac wedi torri fy nghalon o'i weld efo Hanna Meri. Erbyn hyn, wn i ddim beth welais i ynddo fo 'rioed. Dydi o ddim chwarter cyn ddeled â Gethin a dydi'i bersonoliaeth o ddim yn agos mor ddiddorol. A dweud y gwir, doedd gen i ddim amynedd o gwbwl i wrando ar Jean a'i annwyl wraig yn paldaruo am eu cynlluniau i fynd â charafán i'r Steddfod. Rôn i ar bigau'r drain isio mynd yn ôl at Gethin. Roedd o'n dal i eistedd ar ei ben ei hun ac mi sylwais fod Mr a Mrs Morgan, rhieni Nerys, yn edrych braidd yn bryderus arno fo. Mae'n siŵr eu bod nhw, fel finnau, yn pitïo drosto fo'n ofnadwy.

Mi lwyddais i ddianc yn y diwedd ac mi brysurais draw at y rhododendrons. Erbyn hynny, roedd 'na nifer sylweddol o ganiau *lager* gwag o gwmpas traed Gethin, ond doedd gen i ddim calon i ddweud y drefn wrtho fo am lygru'r amgylchedd. Mi gliriais y caniau'n bentwr bach del ac mi eisteddais wrth ei ochr o. A dyna pryd y cydiodd o ynof fi a dechrau snogio! Mi ges andros o sioc a bu bron imi â syrthio'n ôl ar y caniau *lager*, fasai wedi bod yn brofiad poenus iawn. Ond mi ymwrolais ac mi ddaliais fy nhir, neu o leia mi ddaliais fy nghefn yn syth tra bod ei ddwylo fo'n tylino fel Cadi Cwc yn ymosod ar grwst, a'i geg o'n boeth ar f'un i. Roedd hi'n amlwg ei fod o wedi bwyta un neu ddau o'r tomatos wedi'u stwffio achos roedd blas garlleg yn gry ar ei wynt o a, rhwng hynny a'r *lager*, doedd o ddim yn beth fasech chi'n ei alw'n bersawrus. Ond doedd hynny'n ddim i mi. Mi faswn i'n fodlon dioddef unrhyw arogl ac unrhyw flas er mwyn cael y profiad ffantastig o gael snog efo Gethin.

Mae o'n fy licio i, rydw i'n gwybod hynny! Dydw i ddim yn disgwyl iddo fo fedru dweud — ddim ag yntau'n cael cymaint o drafferth i fynegi'i deimladau. Ond rydw i'n gwybod sut mae o'n teimlo achos rydw innau'n teimlo'r un fath yn union. O, Gethin, Gethin, Gethin! Does dim angen geiriau rhyngom ni'n dau!

Dydd Sul, Gorffennaf 8

Dim gair gan Gethin heddiw. Dôn i ddim yn disgwyl iddo fo ruthro yma a'i daflu'i hun ar ei liniau o'm blaen i, ond mi fasai wedi bod yn neis iawn tasai fo wedi ffonio neu rywbeth. Dydw i ddim yn flin go iawn efo fo chwaith. Wedi'r cwbwl y ffaith 'fod o'n swil a diymhongar wnaeth fy nenu i ato fo yn y lle cynta. Hynny a'r ffaith ei fod o'n bisyn mor anhygoel o ddel.

Wn i ddim beth oedd o'n ei wneud drwy'r dydd. Roedd Nerys a'i brawd hyll yn gweithio ac mi fu Tracy'n helpu Gareth efo'r mulod unwaith eto. Synnwn i damaid nad ydi hi'n lecio'r mulod yn well na fo a welwn i ddim bai arni hi am hynny. Rydw i'n teimlo dros Nerys braidd yn gorfod gweithio ar ddydd Sul — dim ond ar benwythnosau mae'i thad hi gartre'r dyddiau yma. Wrth gwrs! Dyna lle'r oedd Gethin! Mae'n siŵr ei fod o wedi aros yn y tŷ er mwyn cael sgwrsio efo Mr Morgan am ei dad. A finnau wedi teimlo dipyn yn flin efo fo! Y cariad bach! Mae o'n haeddu pob munud o fywyd teuluol y medr o'i gael.

Doedd 'na ddim llawer o fywyd teuluol yn y tŷ yma heddiw. Mae hi'n rhyfel oer rhwng Mam a Dad eto — y ddau'n mynd o gwmpas eu pethau heb dorri gair â'i gilydd. Mae'n siŵr mai llanast y parti ydi'r achos y tro yma. Ond dydw i ddim yn mynd i boeni am y peth. Mi drefna i rywsut i weld Gethin fory ac, efo dipyn o lwc, mi gawn ni sgwrs ystyrlon eto a hyd yn oed snog os bydd y sêr yn gwenu arna i. O, mae o'n gorjys!

Dydd Llun, Gorffennaf 9

Diwrnod grêt a noson hollol, hollol anhygoel. Mi es i draw i dŷ Nerys y bore 'ma ac mi berswadiais i Gethin i ddod i lan y môr efo fi — doedd 'na ddim byd gwerth ei weld ar y teledu, meddai fo. Mi dreulion ni ddiwrnod cyfan yn siarad efo'n gilydd — neu o leia, roedd o'n siarad a finnau'n gwrando'n llawn cydymdeimlad. Bobol bach! Mae gan y creadur broblemau. Mae o'n poeni'i fod wedi gwneud yn wael yn ei arholiadau Lefel A ac y bydd yn rhaid iddo fo fynd yn ôl i'r ysgol am flwyddyn arall. Doedd hynny ddim yn swnio'n syniad drwg imi — dim ond blwyddyn ar y blaen imi fasai fo wedyn, ac os gweithia i'n anhygoel o galed dros y ddwy flynedd nesa, ella y medra i fynd i Fangor hefyd. Ond fedra i ddim disgwyl iddo fo weld y peth fel 'na. Mae o'n anhapus iawn gartre, meddai fo. Dydi'i fam ddim yn ei ddeall o ac mae'n hwyr glas ganddo fo fynd dros y nyth. Rydw i'n teimlo mor falch ac mor hapus ei fod o'n ymddiried ynof fi ddigon i ddweud beth sy'n ei boeni o, ac mi driais i 'ngorau i godi'i galon o. Mi roddodd ddadansoddiad manwl imi o'r papur Hanes roedd o wedi'i ateb ac, er nad ôn i'n deall llawer, roedd hi'n swnio imi fel tasai fo wedi gwneud yn *champion*. Mi siriolodd yn arw pan ddeudais i hynny — mae'n amlwg bod ganddo barch mawr i fy marn i.

Mi aethon ni i dafarn ar y ffordd adre ac mi gafodd gyfle i ddisgrifio'r papur Economeg imi. Erbyn hynny, a bod yn berffaith onest, rôn i'n dyheu am iddo fo stopio siarad a defnyddio dipyn o *body language* yn lle hynny. Dim ond un sws fach wrth ddod adre gawson ni drwy'r nos — roedd Gethin isio gweld rhyw ffilm ar y teledu.

"Ffilm rhyw mae'n siŵr!" meddai Tracy pan ddes i i'r tŷ. Fedrwn i ddim tsecio gan fod Mam wedi mynd â'r *Guardian* i'w ailgylchynu, ond dydw i ddim yn meddwl ei bod hi'n iawn. Nid dyna'r teip o hogyn ydi Gethin — gwaetha'r modd!

Ond fedr rhywun ddim cael pob dim. Mi ddylwn i deimlo'n falch ei fod o'n gwerthfawrogi fy mhersonoliaeth i yn hytrach na fy nghorff i. Fel arall mae dynion fel arfer, yn ôl Mam — dim ond isio un peth, a dim meddwl bywiog ydi hwnnw. Rydw i'n lwcus bod Gethin yn wahanol.

Mi ddeudais i hynny wrth Tracy heno pan dynnodd hi arna fi am fynd allan efo fo.

"Gwahanol!" meddai hi. "'Ti'n gweud wrtho i! Mae e'n wahanol i unrhyw beth byw wy wedi'i weld eriôd! Dyle fe fod mewn amgueddfa!"

Ond does dim ots gen i amdani hi. Rydw i'n deall yn iawn pam ei bod hi'n genfigennus. O ran gallu meddyliol, mae Gareth ar yr un lefel â'i fulod a synnwn i ddim nad ydi'r rheiny'n fwy clyfar na fo!

Dydd Mawrth, Gorffennaf 10

O, mae bywyd yn braf! Heno, ar y ffordd adre, mi stopiodd Gethin siarad am o leia hanner awr ac mi fynegodd ei deimladau mewn ffordd gwbwl ymarferol. Mi fedrwn i ddod yn reit hoff o'r busnes snogio 'ma. Rôn i wedi gofalu yfed *lager* fy hun heno er mwyn lladd y blas drwg ar ei geg o, ac mi weithiodd hynny'n grêt. Mi gawson ni amser ffantastig. Mae'n wir nad ydi pwyso yn erbyn gwrych y lle mwya cyfforddus yn y byd, ond wrth deimlo gwefusau Gethin ar fy wyneb a'i fysedd yn chwarae yn fy ngwallt — wel, yn tynnu fy ngwallt, a dweud y gwir — rôn i'n gwybod 'mod i yn y nefoedd!

"Odi e wedi treial rhywbeth?" oedd cwestiwn Tracy pan welodd fi'n tynnu dail a brigau bach a ballu oddi ar fy siwmper gynnau. Rôn i'n gwybod yn iawn beth oedd ganddi dan sylw, wrth gwrs, ond mi agorais fy llygaid yn fawr a smalio edrych yn ddiniwed.

"Mae o newydd drio'i Lefel A," meddwn i ac mi dynnodd hynny'r gwynt o'i hwyliau hi dipyn bach.

"Iawn felly," meddai hi cyn mynd ymlaen yn ei ffordd gynnil ei hun, "Jiawch! Ma 'da Gareth radd yn y pwnc. Mae'n lwcus bo fi wedi fy magu i fod yn ferch dda."

Wn i ddim beth oedd hynny i fod i'w feddwl. Wedi'r cwbwl, yn Llundain y cafodd hi'i magu. Ac mae pawb yn gwybod lle mor goman ydi fan'no!

Yn y dafarn y buon ni'r rhan fwya o'r gyda'r nos ac, a dweud y gwir, mi ddychrynais braidd pan aethon ni i mewn. Roedd Dad a Helen, y ddynes sy'n gweithio efo fo, yn eistedd mewn cornel a'u pennau'n agos at ei gilydd. Yn amlwg roedden nhw'n trafod rhyw fater tyngedfennol a chyfrinachol ynglŷn â'r Cyngor Sir. Rôn i'n meddwl y basai Dad yn wyllt gacwn o 'ngweld i mewn tafarn ond ddeudodd o ddim byd. Mae'n rhaid ei fod o'n teimlo'n annifyr hefyd achos mi gochodd at ei glustiau, ac mi gododd o a Helen i fynd yn fuan wedyn. Diolch am hynny! Un tawedog ydi Gethin bob amser mewn cwmni: dim ond pan ydyn ni'n hunain mae o'n ymlacio.

Ac mi wnaeth ymlacio go iawn heno! O, mi wnes i fwynhau fy hun! A fory rydyn ni'n mynd i'r dre efo'n gilydd. O, rydw i'n lwcus, lwcus, lwcus!

Dydd Mercher, Gorffennaf 11

Wn i ddim beth i'w feddwl. Rydw i'n siŵr na fasai Dad ddim yn gwneud dim byd gwirion ac mae Helen yn ddynes rhy neis i botsian efo dyn priod. Ond *mae* Dad wedi bod yn od iawn yn ddiweddar. Mae o'n fwy tebyg iddo fo'i hun yr wythnos yma, yn jogio a gratio moron a bod yn flin efo Mam, ond am sbel cyn hynny roedd o'n ffysian o'i chwmpas hi fel iâr efo un cyw. Tybed oedd o'n trio taflu llwch i'w llygaid hi? Welais i 'rioed mono fo'n rhoi cymaint o sylw iddi hi: roedd o'n tendio ac yn mwytho yn union fel tasai hi'n disgwyl babi. Hei! Ella mai dyna beth sy'n bod! Ella mai gofyn cyngor Helen roedd o heddiw, pan welodd Gethin a finnau nhw yn y dre. Rydw i'n gwybod bod gan Helen hogyn bach reit ifanc. Ella mai rhoi Dad ar ben ffordd ynglŷn â'r dulliau diweddara o fagu plant roedd hi. Ond go brin erbyn meddwl. Dydi Mam ddim yn credu mewn dod â mwy o blant i'r byd 'ma. Mae 'na ormod o bobol yma'n barod, meddai hi.

Gethin sylwodd arnyn nhw gynta. Roedden ni'n dau'n cerdded ar hyd y stryd, yn llwythog o barseli — neu, o leia, rôn i'n llwythog: roedd rhaid i Gethin gael ei ddwylo'n rhydd, wrth gwrs, er mwyn medru dewis pethau yn y siopau. Rôn i wedi treulio bore bendigedig o ddifyr yn ei helpu i brynu offer gwersylla — mae o'n mynd ar wyliau efo'i dad ddydd Sadwrn, ac wedyn mae o a chriw o'i ffrindiau ysgol yn mynd i'r Steddfod

Genedlaethol, sy'n profi'i fod o'n foi diwylliedig yn ogystal â bod yn sensitif. Erbyn amser cinio, roedd gen i stof nwy a phentwr o *billy cans* dan un fraich, lamp a phowlen golchi llestri dan y fraich arall a sach gysgu wedi'i gwasgu yn erbyn fy mol. Rôn i'n falch iawn pan awgrymodd Gethin ein bod ni'n mynd i dafarn i gael seibiant bach. A dweud y gwir, mi faswn wedi diolch am gael eistedd ar y pafin hyd yn oed: rôn i'n dechrau deall pam bod mulod Gareth wastad yn edrych mor drist.

Mi gerddon ni i ben draw'r stryd a dyna pryd y deudodd Gethin,

"Mae dy dad yn fan'na. Efo'r ddynes 'na eto."

Am funud, rôn i mor falch ei fod o'n cymryd diddordeb yn fy nheulu i — dydyn ni ddim yn cael llawer o gyfle i siarad amdana i gan fod ganddo fo gymaint o broblemau — wnes i ddim sylwi bod ei lais o'n swnio'n feirniadol. Mi drois i edrych lle'r oedd o'n pwyntio ac, wrth wneud, mi ollyngais y *billy cans* ar y pafin. Mi fowndiodd y rheiny i gyfeiriad y ffordd ac, wrth imi neidio ar eu holau nhw, mi syrthiodd y sach gysgu a'r bowlen golchi llestri. Trwy ryw drugaredd, mi ddaliais fy ngafael yn y stof a'r lamp ond, wedi imi hel pob dim at ei gilydd, mi sylwais fod golwg gythreulig o flin ar wyneb Gethin. Rôn i'n methu deall pam achos doedd y pethau ddim gwaeth, ond yna mi sylweddolais nad oedd o'n edrych arna i. Roedd o'n syllu'n llawn cynddaredd ar Dad a Helen oedd yn eistedd wrth fwrdd bach y tu allan i gaffi gyferbyn â ni, yn sgwrsio pymtheg yn y dwsin.

"Helen ydi honna," meddwn i gan gychwyn ar draws y ffordd. "Mae hi'n gweithio efo fo."

Ond mi dynnodd Gethin fi'n ôl yn syth ac mi yrrodd cyffyrddiad ei law ar fy mraich iasau hyfryd i lawr fy nghefn i. Rôn i wedi gwirioni cymaint, wnes i ddim gwrando ar ei eiriau nesa fo ond, pan ddes i ataf fy hun — pan beidiodd y miwsig â chanu a'r sêr â fflachio — roedd o'n dal i fytheirio.

"Gweithio!" meddai fo. "Ar beth, leciwn i wybod! Dyna'n union sut y dechreuodd pethau efo Dad. Mi gymerodd flynyddoedd imi faddau iddo fo!"

Mi llusgodd fi i mewn i dafarn ac, ar ôl llowcio'i *lager*, mi fwriodd iddi i ddweud sut roedd ei dad wedi'i dwyllo fo a'i fam am hir ac mor ofnadwy roedd o'n teimlo pan gafodd wybod y gwir. Rôn i'n falch ei fod o'n medru dweud ei boen wrtho i ond, a bod yn onest, roedd fy meddwl i'n llawn o fy mhoen fy hun. Rôn i'n eistedd yn fan'no, y stof nwy a'r lamp ar fy nglin a'r pethau eraill yn pwyso yn erbyn fy nghoesau, ac roedd fy meddwl i'n gweiddi, 'Na! Na! Fedr o ddim bod yn wir!'

Dydi o ddim yn wir. Fasai Dad byth yn gwneud hynny i Mam a Dylan a Tracy a finnau. O mi leciwn i tasai Dylan yma imi gael siarad efo fo! Siawns na ddaw o cyn hir. Mae o wedi cael digon o amser i hel pob mefusen yn Lloegr erbyn hyn. O, pam roedd yn rhaid i Gethin godi bwganod? Rydw i'n falch ofnadwy'i fod o'n poeni amdana i ond faswn i 'rioed wedi dechrau amau oni bai'i fod o wedi sôn. A rŵan, fedra i ddim anghofio am y peth. O, gobeithio nad ydi o ddim yn wir!

Dydd Iau, Gorffennaf 12

Mi wnes i wylio Dad yn ofalus bob cyfle a ges i heddiw. Roedd o i'w weld yn hollol normal amser brecwast. Roedd Mam wrthi, rhwng cegeidiau o Alpen, yn pregethu y dylai fo berswadio'r Cyngor Sir i newid eu holl geir a lorïau i gymryd petrol di-blwm. Mi eglurodd Dad yn ei ffordd eiriog arferol mai gwas y cyhoedd ydi o ac mai'r cynghorwyr ydi'r meistri. Mi aeth cyn belled ag awgrymu y medrai Mam drio mynd yn gynghorydd yn lle eistedd ar ei thin yn cwyno.

"Hy!" meddai Mam yn syth. "Eistedd yn gollwng stêm mae'r rheiny hefyd. Ac rydych chi'n defnyddio gormod o lawer o betrol, p'run bynnag."

Mae'n rhaid imi gyfaddef nad ôn i'n gweld rhesymeg ei dadl hi, ac roedd hi'n amlwg bod Dad yn yr un picil.

"Wyt ti'n disgwyl i drefnyddion *gerdded* o gwmpas yr ysgolion? A sut wyt ti'n disgwyl i weithwyr cymdeithasol ymateb i argyfwng? Hedfan ar goes brwsh? Nid rhyw ardd gefn fach ydi'r sir 'ma, wyddost ti!"

"Cilcyn o ddaear mewn cilfach gefn!" meddai llais o'r drws. A phwy oedd yno'n edrych fel rhywbeth roedd cath wedi'i adael, ond Parri Bach, wedi galw ar ei ffordd i'r ysgol.

"Tyrd i mewn, Aneurin!" meddai Mam yn syth. "Mae'r poteli i gyd yn barod gen i. Faint o bobl sy'n dod?"

Rôn i'n meddwl i ddechrau'i bod hi a Parri Bach yn trefnu parti gwyllt ond, erbyn deall, maen nhw'n hel criw o bobl i fynd i lan y môr ddydd Sadwrn i gymryd samplau o'r dŵr. Maen nhw'n argyhoeddedig mai'n traeth ni ydi'r mwya sglyfaethus yn Ewrop, a synnwn i damaid nad ydyn nhw'n iawn. Mae mulod Gareth yn gwneud digon o lanast yno beth bynnag.

"Mi ddowch chi'ch dwy, yn gwnewch, genod?" meddai Mam gan wenu'n glên ar Tracy a finnau. "Wedi'r cwbwl, er mwyn eich cenhedlaeth chi rydyn ni'n gwneud hyn."

"I gadw i'r oesoedd a ddêl y glendid a fu," ategodd Parri Bach. Argol! Mae hwnna'n drysu, mae'n rhaid. Roedd o newydd fod yn traethu'n huawdl am *aflendid* y byd! Dyna beth sy'n dod o drio bod yn glyfar mor gynnar yn y bore.

"A beth amdanat ti, Elfyn?" meddai Mam wedyn gan dynnu stumiau hyll iawn ar Dad y tu ôl i gefn Parri Bach.

"Ia wir," ategodd Parri — mae o fath ag adlais i Mam drwy'r amser: dydw i ddim yn meddwl bod ganddo fo'r un syniad gwreiddiol yn ei ben.

"Dim diolch," meddai Dad yn syth. "Edrychwch chi ar ôl y budreddi, Aneurin. Pawb at y peth y bo."

Ac i ffwrdd â fo am ei waith. Er bod Mam a Dad fel ci a chath eto, rôn i'n teimlo'n dawel fy meddwl, yn saff bod Gethin wedi camgymryd yn arw. A dweud y gwir, roedd hi'n reit braf cael pethau'n normal yn tŷ ni eto.

Welais i mo Dad drwy'r dydd wedyn. Roedd o'n gweithio'n hwyr heno, ac erbyn imi ddod adre ar ôl noson fendigedig arall efo Gethin, roedd o a Mam wedi mynd i'r gwely. Dydyn nhw ddim yn cysgu chwaith. Rydw i'n eu clywed nhw rŵan wrthi'n cael 'sgwrs' am rywbeth. Mae popeth fel arfer rhyngddyn nhw ac mae'n amlwg bod Gethin ymhell ohoni. Dydi Dad ddim byd tebyg i'w dad o.

Am ei dad y siaradodd Gethin y rhan fwya o'r amser heno. Mae o'n edrych ymlaen yn ofnadwy at ei weld a dydi o ddim yn dal dig o gwbwl am yr hyn ddigwyddodd flynyddoedd yn ôl. Ychydig o ddynion sy'n medru sticio at un ferch, meddai fo: maen nhw angen amrywiaeth yn eu bywydau. Dydw i ddim yn meddwl bod hynny'n gyffredinol wir ac rydw i'n gobeithio'n arw nad ydi o'n tynnu ar ôl ei dad.

O, roedd hi'n braf bod efo fo! Mi fydd gen i hiraeth ofnadwy'r wythnos nesa. Mae o'n mynd i ffwrdd efo'i dad ac i'r Steddfod wedyn ac mi fydd hi'n ganol Awst arno fo'n dod yn ôl yma, os daw o'r amser hynny. O, mi leciwn i taswn i'n medru meddwl am ffordd i gael ei weld o'n fuan!

Dydd Gwener, Gorffennaf 13

Wela i mo Gethin byth eto! Wel, ddim am flwyddyn gyfan beth bynnag ac mae blwyddyn yn teimlo fel oes i mi. Ofergoeledd, meddai Mam, ydi coelio bod dydd Gwener y trydydd ar ddeg yn anlwcus. Mae pob diwrnod yn anlwcus i'r blaned ar hyn o bryd, meddai hi. Ond waeth gen i beth ddywed hi, roedd 'na ryw felltith ar heddiw. Roedd o'r diwrnod mwya melltigedig o anlwcus yn fy mywyd. i.

O, sut medra i fyw heb Gethin? Sut medra i ddioddef bod yn fan'ma a gwybod ei fod o'n unig yn rhywle a'i broblemau i gyd wedi'u cloi y tu mewn iddo fo? Rydw i'n gwybod na fedr o ddim mynegi'i bryderon wrth neb arall. Dim ond fi sy'n deall; dim ond fi sydd â'r allwedd i'w galon o.

Mae'i dad o'n cyrraedd bore fory ac mae'r ddau'n cychwyn yn syth ar eu gwyliau. Dydi o ddim yn bwriadu dod yn ôl ar ôl y Steddfod chwaith. Mi fydd ganddo bethau i'w gwneud: mi fydd wedi cael ei ganlyniadau ac mi fydd yn rhaid iddo fo baratoi at fynd i'r coleg os bydd o wedi gwneud yn ddigon da.

"Gwynt teg at ei ôl o!" oedd sylw Nerys pan glywodd hi hynny. "Mae gen i gywilydd 'mod i'n perthyn i'r mwnci surbwch, hunanol."

Roedd hi'n amlwg bod Tracy a Gareth yn teimlo'r un fath. A Dewi di-lun hefyd os ydi'r llinyn trôns hwnnw'n medru teimlo unrhyw beth. Ond dydyn nhw ddim yn deall. Dydyn nhw ddim yn gwybod mai swildod ac anhapusrwydd sy'n gwneud i Gethin ymddangos yn sych ac yn ddistaw. Wnes i ddim trafferthu egluro iddyn nhw. Eu colled nhw ydi nad ydyn nhw'n gweld mor hardd ydi'i bersonoliaeth o go iawn.

Mae'n rhaid imi gyfaddef ei bod hi'n hawdd iddyn nhw gael camargraff heno. Roedd Gethin a minnau wedi trefnu i fynd am dro a jest cyn cychwyn mi ges i'r syniad ffantastig o ofyn i Mam am gael benthyg ei char hi. Mae Gethin yn ddeunaw oed ac yn medru gyrru ac rôn i'n meddwl y basai'n braf inni fynd i rywle gwahanol ar ein noson olaf. Doedd Mam ddim yn frwd iawn i ddechrau. Roedd hi'n poeni, meddai hi, am bethau a fedrai ddigwydd ar sedd gefn car — mi fasech yn meddwl bod ganddi Rolls Royce efo gwely a bob dim yn lle car bach sgwâr heb le i eistedd yn braf, heb sôn am ddim byd arall!

Mi eglurais bod Gethin yn hogyn neis iawn ond roedd hi'n amlwg nad oedd hi'n derbyn hynny.

"Does 'na ddim ffasiwn beth â hogyn neis," meddai hi. "Y tu mewn i bob dyn mae 'na fochyn yn trio dod allan!"

Roedd hi'n amlwg y basai hi'n licio cael ymgynghori efo Dad — mae hi'n gwneud hynny weithiau pan mae 'na rywbeth gwirioneddol anodd i'w benderfynu. Ond roedd Dad yn gweithio'n hwyr eto. Wn i ddim beth sy'n digwydd i'r Cyngor Sir y dyddiau yma. Mae'n rhaid eu bod nhw'n talu ffortiwn mewn *overtime*. Does ryfedd fod pobol yn cwyno bod trethi'n uchel!

Yn y diwedd, mi gytunodd Mam ar yr amod bod Tracy a Gareth yn dod efo ni. Wrth gwrs, pan ffoniais i dŷ Nerys i awgrymu hynny, mi fu'n rhaid iddi hi a'i chariad wthio'u trwynau i mewn hefyd.

"Da iawn," meddai Mam pan glywodd hi. "Mi fyddi di'n ddiogel mewn criw."

Mi ddaeth pawb draw, a rywsut, mi stwffion ni i gyd i'r car bach. Mae'n rhaid bod gan Mam fwy o feddwl o 'niogelwch i nag o ffrâm ei char ac mi ddylwn i werthfawrogi hynny, mae'n debyg. Ond heno, rôn i'n ei melltithio hi o waelod fy nghalon achos, yng nghwmni'r lleill, mi aeth Gethin i'w gragen yn llwyr a wnaeth o ddim ond gyrru o dafarn i dafarn ac yfed o leia peint o *lager* ym mhob un. Erbyn y bumed dafarn, roedd hi'n amlwg bod y pedwar arall yn dechrau poeni ac, ar ôl y seithfed, mi wrthodon nhw ddod i'r car. A bod yn onest, dôn i'n gweld dim bai arnyn nhw. Doedd Gethin druan ddim mewn cyflwr i yrru a dôn innau ddim isio mentro fy mywyd er 'mod i mewn cariad efo fo.

Fedrwn i ddim gadael iddyn nhw gega arno fo chwaith.

"Triwch ddeall," meddwn i. "Mae ganddo fo broblemau."

"Rydyn ni'n gwybod hynny," meddai Nerys yn ddigon blin. "Dydi o'n ddim byd ond un broblem fawr o'i gorun i'w sodlau."

"Ac mae 'da ni broblem hefyd," ychwanegodd Tracy cyn imi gael cyfle i achub cam Gethin. "Shwt ŷn ni'n mynd gartre?"

Roedd ganddi hi bwynt. Roedden ni, erbyn hynny, wedi teithio cryn bellter ac wedi cyrraedd rhyw dwll gwledig lle nad oedd 'na olwg o gar heb sôn am fws neu drên.

"Bodio?" meddwn i gan feddwl 'mod i'n swnio fel arweinydd naturiol.

"Iesgob! Rwyt ti'n wirion, Hipo!" meddai Gareth oedd ddim wedi cyfrannu at y drafodaeth hyd hynny. "Yn beth rwyt ti'n meddwl gawn ni bàs? Tractor? A fasai neb yn ei iawn bwyll yn codi hwnna beth bynnag!"

Mi bwyntiodd at lle'r oedd Gethin yn pwyso yn erbyn wal a golwg sâl iawn arno fo. Roedd yn rhaid imi gyfaddef 'mod i'n derbyn y pwynt.

"Ond fedrwn i mo'i adael o yn fan'ma," meddwn i ac, ac am unwaith, mi ges gefnogaeth Tracy.

"Na," meddai honno. "Neu bydd mam Gareth yn grac 'da ni."

Mi ddylwn i fod yn gwybod nad oedd hi'n meddwl am ddim ond plesio'i mam-yng-nghyfraith!

Yn y diwedd, mi fu'n rhaid imi ffonio Mam. Roedd y lleill yn dweud mai fi oedd wedi trefnu'r trip ac mai fy nghyfrifoldeb i oedd ffendio olwynion inni. Doedd Dad byth wedi cyrraedd adre ond mi lwyddodd Mam i berswadio Parri Bach i ddod i'n nôl ni. Mi ddylai hwnnw fod yn llawn cydymdeimlad â Gethin — mae o'n ddigon hoff o lysh ei hun — ond mi gawson bregeth yr holl ffordd adre ynglŷn â 'bradychu ymddiriedaeth' a 'gadael cyfeillion i lawr' a phethau diflas felly. Roedd y lleill o'u co, yn teimlo'u bod nhw'n cael bai ar gam, a phan stopion ni wrth dŷ Nerys, mi aeth hi a Gareth a Dewi o'r car heb gynnig gair o ddiolch i'r hen Parri.

"Ewch â'ch ffrind efo chi!" meddai hwnnw gan bwyntio at Gethin oedd yn chwyrnu yn y sedd flaen.

"Cefnder," meddai Nerys. "Mae rhywun yn cael *dewis* ei ffrindiau!"

Ond mi lusgon nhw Gethin allan a'i gario fel sach o datws am y tŷ. Ches i ddim dweud 'ta ta' wrtho fo hyd yn oed. A wela i mono fo byth eto. Os na . . . O, rydw i newydd gael syniad anhygoel o arallfydol o grêt! Tybed fedra i berswadio Mam a Dad i adael imi fynd i'r Steddfod? Dydw i ddim yn or-hoff o ddiwylliant, a dweud y gwir, ond mi faswn i'n fodlon dioddef oriau o gerdd dant er mwyn bod efo Gethin. Mi dria i'u perswadio nhw fory.

Dydd Sadwrn, Gorffennaf 14

Dydw i ddim wedi sôn wrth Mam a Dad eto. Mi benderfynais y basai'n well imi berswadio Tracy neu Nerys i ddod efo fi cyn crybwyll y mater. Fasen nhw byth yn gadael imi fynd ar fy mhen fy hun. Rôn i'n gwybod bod yn rhaid imi ddewis fy amser i siarad efo'r genod, a bod yn ddiplomatig iawn. Doedd fiw imi sôn am Gethin: does yr un o'r ddwy'n hoff iawn ohono fo ac, ar ôl neithiwr, go brin y basen nhw'n croesi'r stryd i'w weld o, heb sôn am fynd i'r Steddfod.

Mi ges i gyfle'r pnawn 'ma, pan oedd criw ohonon ni'n helpu Mam a Parri Bach i roi dŵr mewn poteli. Doedd o ddim yn edrych yn fudr i mi, ond mae Mam yn dweud ei fod o'n ffiaidd ac y bydd canlyniadau'r profion fydd yn cael eu gwneud arno fo'n dangos hynny.

"Y llygredd sydd ddim i'w weld ydi'r gwaetha," meddai hi. "Yr un fath ag efo pobol!"

Mi edrychodd yn ddigon sarrug ar Dad wrth ddweud hynny ond wn i ddim beth oedd ganddi hi dan sylw. Roedd o, chwarae teg, wedi dod i helpu er bod hynny'n hollol groes i'w egwyddorion: mae o'n credu'n gydwybodol bod y Cyngor Sir yn gofalu am y traethau fel am bob dim arall. Mae o fath â tasai fo'n trio plesio Mam eto heddiw. Mi wnaeth o hyd yn oed olchi'r poteli i gyd y bore 'ma a gwneud yn siŵr eu bod nhw'n berffaith lân ac yn barod i dderbyn y dŵr budr. Argol! Mae'n anodd ei ddeall o! Ddaeth o ddim adre tan yn hwyr, hwyr neithiwr ac mi fu o a Mam yn 'sgwrsio' tan berfeddion nos. A heddiw, mi fasech yn taeru'i fod o mewn cariad efo hi eto!

Ond doedd gen i ddim amser i boeni am fy rhieni gwirion. Rôn i ar bigau'r drain isio rhoi fy nghynllun ar y gweill. Mi symudais at lle'r oedd y genod wrthi'n potelu'r dŵr dan gyfarwyddyd manwl Parri Bach. Roedd hwnnw'n mynnu'n bod ni'n mesur yn ofalus ac yn nodi o ble'n union roedd y sampl wedi dod.

"Beth sy haru'r ffŵl?" meddai Nerys ar ôl i Parri

symud i ffwrdd. "Mae'r dŵr yn cymysgu i gyd siŵr. Beth ydi'r ots ble rydyn ni'n ei gael o?"

Mi fedrwn i gredu'n hawdd bod pen y mulod i'r traeth yn futrach na'r pen arall. A dydw i ddim yn meddwl eu bod nhw'n rhy ffysi am lanweithdra yn y caffi chwaith. Ond ddeudais i ddim byd; dôn i ddim isio codi'i gwrychyn hi. Mi grafais fy mhen am ffordd o godi pwnc y Steddfod. Ddim yn aml y bydda i'n gweld y genod heb eu cariadon dwl ac roedd y cyfle'n rhy dda i'w golli, ond dôn i ddim yn siŵr sut i fynd o'i chwmpas hi. Dôn i ddim yn meddwl rywsut y basai diwylliant yn apelio ryw lawer at Tracy a Nerys.

Yn y diwedd, mi aeth pethau'n well nag rôn i wedi'i freuddwydio.

"Ew! Syniad grêt!" meddai Nerys pan fentrais i sôn. "Mae Judith a Rhiannon yn mynd. Maen nhw wedi clywed bod 'na andros o hei-leiff i'w gael yna!"

"Mae'n siŵr bod y canu a'r adrodd a ballu'n ddiddorol iawn," meddwn i'n betrus.

"Paid â malu!" oedd ateb Nerys. "Does dim rhaid inni fynd yn agos at y Steddfod ei hun siŵr! Dim ond mwynhau gigs. A dipyn o lysh. A lot o hogia!"

Oes 'na obaith ei bod hi'n dechrau alaru ar y llipryn Dewi? Wnes i ddim holi, dim ond bendithio Judith a Rhiannon a diolch i'r drefn 'mod i wedi mentro sôn. Mae Nerys wedi trefnu'n barod i gael wythnos yn rhydd o'r caffi ac wedi cael caniatâd ei mam. A bore fory, mae Tracy a finnau am godi'r mater yn tŷ ni. Mae Tracy'n awyddus iawn, er y basai'n well ganddi tasai Gareth yn dod hefyd. Ond fedr y mulod ddim gwneud heb hwnnw, wrth lwc, a ph'run bynnag trip genod ydi hwn, meddai Nerys. Dydw i ddim wedi dweud gair am Gethin. Mi smalia i 'mod i'n synnu'i weld o yno. O, rydw i'n edrych ymlaen! Gobeithio y bydd Mam a Dad yn fodlon!

Dydd Sul, Gorffennaf 15

Rydw i'n cael mynd i'r Steddfod! Hynny ydi, rydw i'n cael mynd os medra i gael digon o bres o rywle i dalu hanner y costau. Fedra i ddim gweld y bydda i angen llawer — llogi carafán a thalu am ei lle hi, dipyn o jips a photel neu ddwy o seidar ac mi fydda i ar ben fy nigon. Mi fasai'r costau'n llai fyth tasai Dylan heb fusnesu. Mi gyrhaeddodd hwnnw adre amser cinio efo llond bŵt ei gar o fefus. Mae o'n aros am ychydig ddyddiau cyn mynd i Ffrainc i hel grawnwin yn un o'r gwinllannoedd. Mae o wrth ei fodd yn hel, mae'n rhaid — biti na fasai fo'n fy helpu i i hel dipyn o bres!

Pan gyrhaeddodd o, roedd Tracy a finnau newydd fod yn trafod efo Mam a Dad. Roedd Mam yn fodlon iawn inni fynd ac yn falch iawn, meddai hi, ein bod ni'n dangos diddordeb yn y Brifwyl.

"Mi wneith ehangu'ch gorwelion chi," meddai hi, a fedrwn i ddim llai na chytuno efo hi. Rydw innau'n gobeithio ehangu fy ngorwelion ond ddim yn yr un cyfeiriad ag y mae hi'n meddwl amdano, mae'n debyg.

Mi gytunodd Dad hefyd — mae o'n dal i drio plesio — ond mi ddeudodd ei fod yn teimlo y dylen ni dalu hanner y gost ein hunain, er mwyn dysgu cyfrifoldeb. Wrth gwrs, mi blesiodd hynny Mam yn fwy na dim — mae hi'n gwirioni ar gyfrifoldeb — a fedrai Tracy a finnau ddim gwrthod yn hawdd iawn. Roedden ni newydd orffen trafod ac wedi penderfynu benthyg pabell gan rywun pan ddaeth Dylan i mewn.

"Peidiwch â gadael iddyn nhw fynd i'r maes pebyll," meddai'r cythraul busneslyd yn syth. "Mae lle ofnadwy yn fan'no. Mi fasai'n well iddyn nhw gael carafán."

Dyna ddyblu'r costau'n syth, a does gen i ddim syniad lle ca i'r pres. Mi awgrymais i Dylan, pan ddaeth o i mewn i ddweud 'Nos dawch' gynnau y dylai fo gyfrannu gan mai fo oedd wedi troi'r drol.

"Meddwl amdanat ti rôn i, Del," meddai fo. "Faset ti ddim yn lecio bod yng nghanol lot o bobol chwil. Pam nad ei di i chwilio am waith?"

Erbyn meddwl, dydi hynny ddim yn syniad drwg. Ella y daw Tracy efo fi fory. Waeth imi weithio mwy nag eistedd yn y tŷ'n meddwl am Gethin. O, mae gen i hiraeth amdano fo! Gobeithio y medra i hel digon i fynd i'r Steddfod.

Dydd Mawrth, Gorffennaf 17

Wnes i ddim sgwennu neithiwr. Doedd gen i ddim byd oedd yn werth ei gofnodi. Mae Tracy a finnau wedi bod yn chwilio am waith am ddau ddiwrnod cyfan. Rydyn ni wedi curo drws pob gwesty a phob caffi a phob siop yn yr ardal 'ma ond heb ddim llwyddiant. Mae ambell un wedi dangos diddordeb ond, cyn gynted ag rydyn ni'n sôn ein bod isio wythnos rydd i fynd i'r Steddfod, maen nhw'n dweud mai rhywun i *weithio* mae arnyn nhw'i angen, nid rhywun i ddod yno fel hobi.

Wn i ddim beth wnawn ni. Mi gafodd Tracy'r syniad briliant o werthu'r tomennydd o fefus ddaeth Dylan adre efo fo. Rydw i'n siŵr y basen ni wedi gwneud elw bach del tasen ni wedi meddwl yn ddigon buan. Ond, erbyn inni fynd i'r bŵt i'w nôl nhw, roedden nhw wedi dechrau llwydo a meddalu. Maen nhw'n addurno tomen gompost Mam erbyn hyn.

A dweud y gwir, rydw i'n teimlo bod Mam a Dad dipyn bach yn angharedig yn mynnu'n bod ni'n talu'n ffordd. Dydyn nhw erioed wedi gwneud hynny o'r blaen. A Dad sy'n mynnu y tro yma. Mi ofynnais i heno a fasen nhw'n ailfeddwl ond ches i ddim gwrandawiad hyd yn oed. Roedden nhw'n eistedd ochr yn ochr ar y soffa — maen nhw'n chwydlyd o lyfi-dyfi o hyd — ac rôn i'n meddwl 'mod i wedi pigo amser da. Ond ysgwyd ei ben wnaeth Dad.

"Fedrwn ni ddim fforddio, Del bach," meddai fo. "Rhaid iti ddysgu nad ydi pres ddim yn tyfu ar goed."

Mi wn i hynny'n iawn, wrth gwrs. Yn ôl Mam, does 'na fawr ddim yn tyfu ar goed y dyddiau yma — mae'r llygredd yn effeithio arnyn nhw. Ond dydw i ddim yn deall pam fod Dad mor galed. Mae o'n hael iawn fel arfer, a lol ydi dweud na fedr o ddim fforddio. A barnu wrth yr holl nosweithiau mae o'n gweithio'n hwyr, mi ddylai fedru fforddio prynu'r blwmin Steddfod!

O, mae'n rhaid imi gael pres o rywle! Dyna'r unig ffordd y medra i weld Gethin. Gobeithio bod popeth yn iawn rhyngddo fo a'i dad a'i fod o'n llwyddo i fod yn hapus hebddof fi. Rydw i'n ei chael hi'n anodd iawn i fod yn hapus hebddo fo.

Dydd Iau, Gorffennaf 19

Dau ddiwrnod diflas arall. Rydw i wedi trio pob man y medra i feddwl amdano fo a does 'na neb isio imi weithio iddyn nhw. Mi awgrymodd Dylan 'mod i'n cychwyn busnes glanhau ffenestri, ac mi fûm o dŷ i dŷ heddiw efo ysgol a bwced a chadach. Ond ches i ddim croeso gan neb. Mae'n debyg bod 'na ddyn yn mynd o gwmpas yn rheolaidd a does 'na ddim angen neb arall. Mi fu un ddynes yn ddigon haerllug i awgrymu nad ôn i'n edrych yn ddigon cry i wneud y gwaith. A phawb wedi dweud erioed 'mod i'n hogan nobl!

"Gweld golwg ddiog arnat ti oedd hi!" meddai fy mrawd mawr annwyl pan ddes adre i adrodd yr hanes. Ond dydw i ddim yn ddiog. Mi faswn i'n gweithio a slafio'n chwys domen drwy'r dydd a'r nos er mwyn cael mynd i'r Steddfod a gweld Gethin. Mae'n rhaid imi ffendio rhyw ffordd o gael mynd.

I wneud pethau'n waeth, mae Tracy wedi cael gwaith. Mi aethon ni'n dwy bnawn ddoe i Blas y Traeth, tŷ mawr wrth ymyl lan y môr sy'n agored i'r cyhoedd. Roedden ni'n gobeithio ella y basai ganddyn nhw le inni yn y caffi neu'r siop, neu mi fasen wedi bod yn fodlon sgwrio'r lloriau a'r bins. Ond yr unig swydd wag oedd tywysydd i fynd â phobol ddiarth o gwmpas y plas ac egluro hanes y lle. A chan fod Saesneg Tracy yn well na f'un i, hi gafodd y swydd honno. Mae hi wedi bod wrthi yn ei llofft drwy'r dydd yn dysgu manylion diflas am y lle.

Faswn i ddim wir yn lecio mynd â Saeson o gwmpas tŷ, ac rydw i'n synnu at Tracy'n cytuno. Ond mi faswn i'n fodlon gwneud hynny neu unrhyw beth arall er mwyn cael mynd i'r Steddfod. Mi fydd gan Tracy ddigon o bres i fynd ac mi fydd rhaid i mi aros gartre ar fy mhen fy hun. Dydi bywyd ddim yn deg! Fy syniad i oedd o a fi ddylai gael mynd. O, beth ydw i'n mynd i'w wneud?

Dydd Gwener, Gorffennaf 20

Ych a fi! Am ddiwrnod diflas! Bron iawn na fasai'n well gen i fod yn sefyll arholiadau. O leia mi fasai gen i rywbeth i'w wneud wedyn. Dydi hynny ddim yn wir chwaith. Roedd yn gas gen i'r arholiadau ac mae'n gas gen i feddwl am y canlyniadau hefyd. Tasai gen i rywbeth i'w wneud, mi faswn i'n medru anghofio amdanyn nhw.

Rydw i wedi bod ar fy mhen fy hun drwy'r dydd. Mae Tracy wedi cau arni fel meudwy yn ei llofft i stydio hanes ei hen blas gwirion — mae hi'n mynd i fwy o drafferth nag y gwnaeth hi ar gyfer yr un arholiad erioed. Wnaeth hi ddim sbio arna i pan es i i mewn y pnawn 'ma, dim ond mwmial.

"Y stafell las, lle bu farw'r trydydd arglwydd a lle cafodd y pedwerydd arglwydd ei eni."

"The king is dead. Long live the king!" meddwn i.

A dweud y gwir, mi fedrwn ddychmygu'r olygfa — hen foi musgrell yn marw yn un gwely a babi newydd yn sgrechian yn y gwely arall wrth i'r goron, neu beth bynnag sydd gan arglwydd, gael ei sodro ar ei ben bach. Ond doedd Tracy ddim yn gwerthfawrogi fy nghyfraniad i. Mi dynnodd stumiau dychrynllyd o hyll ac amneidio arna i i adael llonydd iddi.

Doedd gen i neb i gadw cwmni imi. Mae Nerys yn

gorfod gweithio bob dydd rŵan er mwyn cael amser rhydd i fynd i'r Steddfod. Ac mae Mam wedi treulio diwrnod cyfan yn helpu Dylan i baratoi ar gyfer ei drip i Ffrainc fory. Fasai hi byth yn smwddio a ballu i mi na Tracy, er ei bod hi'n smalio'i bod yn ein trin ni i gyd 'run fath. Fasai hi byth yn smwddio i Dad chwaith o ran hynny, ond mae Dylan yn wahanol. Mae hi'n dweud pethau caled fel,

"Os na ddysga i di i edrych ar d'ôl dy hun, mi fydd 'na ryw ferch druan yn gorfod tendio arnat ti ar hyd ei hoes."

Ond dydi hi ddim o ddifri. Cyn gynted ag y mae Dylan yn gwenu arni ac yn dweud, "Plîs, Mam," mae hi'n toddi i gyd. Mae'n siŵr ei bod hi'n braf iawn bod yn hogyn.

Mae Dad yn gweithio'n hwyr eto heno. Yn ddiawchedig o hwyr, a dweud y gwir; mae hi bron yn ddeg o'r gloch. Wn i ddim beth mae o'n ei wneud. Dydi hi ddim fel tasai'r sir wedi ehangu'n sydyn, na fel tasen nhw'n brin o staff. Mae 'na gannoedd os nad miloedd yn gweithio yno, meddai Mam, neu o leia'n eistedd yn gwthio darnau o bapur o gwmpas.

Ac un o'r rhai sydd yno ydi Helen. O, pam 'mod i'n meddwl am honno bob munud? Rydw i'n siŵr 'mod i'n poeni am ddim byd — dyna ddeudodd Dylan pan ddaeth o i mewn am sgwrs gynnau.

"Wneith Dad fyth sbio ar neb ond Mam," meddai fo. "A beth bynnag, fasai ganddo fo ddim digon o ynni i fynd efo dynes ifanc. Mae o'n defnyddio gormod yn jogio a gwneud *press-ups*!"

Trio codi 'nghalon i roedd o, rydw i'n gwybod, ond

fedra i yn fy myw beidio â phoeni. Mae Dad yn hwyr bob nos rŵan ac, am y tro cynta imi gofio, mae o'n brin o bres. Biti na fasai Gethin yma imi gael gofyn ei farn o. Biti na fasai Gethin yma, atalnod llawn. Mi dria i anghofio pob dim a breuddwydio amdano fo drwy'r nos.

Dydd Sul, Gorffennaf 22

Mae pethau ar i fyny! Rydw i wedi cael gwaith o'r diwedd! Mi fydda i'n ennill hanner canpunt yr wythnos ac mi fydd gen i ganpunt cyfan i fynd efo fi i'r Steddfod! Os bydd arna i angen mwy, mi ga i'i fenthyg o, meddai Dad, a thalu'n ôl wedyn. Mi fedra i wneud hynny'n hawdd achos rydw i wedi gorfod addo gweithio am weddill y gwyliau hefyd. Rydw i'n lwcus iawn i gael wythnos y Steddfod yn rhydd, meddai Dad.

I Helen y bydda i'n gweithio a dyna sut mae Dad yn gwybod cymaint am y trefniadau. Mi ddaeth adre amser cinio heddiw — roedd o wedi bod yn gweithio eto er ei bod hi'n fore Sul — a dweud bod Helen mewn trafferthion am fod y ferch sy'n arfer edrych ar ôl ei hogyn bach hi wedi cael swydd well. Roedd Dad wedi trefnu i mi fynd yno am wyth bore fory.

"Pam na fedr ei gŵr hi warchod?" meddai Mam yn syth.

Dôn i ddim yn sylweddoli cynt bod gŵr Helen yn athro mewn ysgol tuag ugain milltir i ffwrdd, ond mi eglurodd Dad ei fod o'n gweithio mewn garej dros yr haf er mwyn cael mwy o bres.

"Handi iawn!" meddai Mam yn sarrug ac, am funud, dôn i ddim yn deall beth oedd ganddi hi. Mi edrychais i'n ofalus ar ei hwyneb i weld a oedd hi'n awgrymu'i bod yn handi bod gŵr Helen yn brysur er mwyn i Helen a Dad gael mwy o amser efo'i gilydd. Ond doedd dim rhaid imi boeni. Mi ges wybod y munud wedyn mai'r un hen bregeth oedd ganddi.

"Mae trin ceir yn haws o lawer na thrin babis," meddai hi. Ond mi dorrodd Dad ar ei thraws yn syth. "Nid babi ydi o. Hogyn bach pedair oed. Seimon Huw. Mae o'n mynd i'r ysgol fis Medi."

Dôn i ddim yn lecio'r ffordd roedd o'n siarad o gwbwl. Roedd o fel tasai fo'n 'nabod yr hogyn yn iawn, ac mi es yn oer drosof wrth feddwl y gallai'r peth bach fod yn frawd imi. Ond, erbyn ystyried, dim ond ers blwyddyn mae Helen yn gweithio i'r Cyngor Sir. Ac roedd hi'n amlwg nad oedd Mam yn poeni o gwbwl am y cysylltiad. Pethau eraill oedd ar ei meddwl hi.

"Pam bod yn rhaid cael *merch* i edrych ar ei ôl o?" holodd yn flin. "Pam na fasai hogyn yn gwneud y tro? Mi fasai rhywun yn meddwl nad oes gan ddynion ddim dwylo na thraed!"

"Yli!" Roedd Dad yn dechrau colli'i limpin. "Mae Delyth yn chwilio am swydd ac rydw i wedi ffendio un iddi hi. Mae hi isio mynd i'r Steddfod, yndoes?"

O oes, rydw i isio mynd i'r Steddfod! Mi faswn i'n fodlon gweithio i unrhyw un, i Cadi Cwc hyd yn oed tasai rhaid imi. P'run bynnag, mae Helen yn ddynes neis ac rydw i'n siŵr nad oes 'na ddim byd rhyngddi hi a Dad. Y Cyngor Sir sy'n eu lluchio nhw at ei gilydd ac, os ydi'r gwaith mor ddiflas ac mor ddi-fudd ag y mae Mam yn honni, does ryfedd eu bod nhw'n treulio oriau dros eu cinio ac yn trafod eu teuluoedd yn fanwl.

Mae'n well imi fynd i gysgu rŵan. Mae Dad am fynd
â fi i dŷ Helen fory ac mi fydd yn rhaid inni gychwyn yn
blygeiniol, tua chwarter i wyth fan hwyra. O Gethin!
Rydw i'n dychmygu'i wyneb o pan welith o fi yn y
Steddfod. Mi fydd wedi gwirioni!

Dydd Llun, Gorffennaf 23

Argol! Rydw i wedi blino! O'r diwedd, rydw i'n deall yn
iawn pam bod Mam yn dweud bod merched yn cael
cam. Fedra i ddim dychmygu dim byd mwy ofnadwy o
flinedig a diflas na threulio diwrnod efo hogyn bach
pedair oed. Ac i feddwl bod pobol yn *dewis* cael plant!
Ac yn edrych ar eu holau nhw am flynyddoedd ar
flynyddoedd! Mae Mam yn pregethu bob munud bod
'na ormod o fabis yn cael eu geni i'r byd 'ma ac na fydd
'na ddim lle iddyn nhw cyn hir. Wel, mae un peth yn
sicr — wna i byth ychwanegu at y broblem. Ddim ar ôl
heddiw! Mi fasai'n well gen i dreulio oes yn torri nionod
i Cadi Cwc na gorfod byw efo hen bethau bach snotlyd,
sgrechlyd, drewllyd o gwmpas fy nhraed i drwy'r amser.
O leia rôn i'n cael fy nhalu am fod efo Seimon Huw,
ond oni bai bod arna i gymaint o isio mynd i'r Steddfod
a gweld Gethin, faswn i wedi rhoi fy notis i mewn cyn
pen hanner awr.

I ddechrau, rôn i'n meddwl y basai popeth yn iawn.
Mi aeth Dad â fi yno ac mi ddangosodd Helen imi lle
mae hi'n cadw pob dim. Mae hi'n cadw Seimon Huw
mewn llofft fach ddigon o ryfeddod ar ben y grisiau —
posteri lliwgar ar y waliau a phob math o deganau hyd
y lle i gyd. Roedd o'n dal i gysgu yn ei wely ac roedd o'n
edrych fel angel bach — ei wallt melyn dipyn bach yn

damp ar ei dalcen a'r mymryn lleia o gochni ar ei fochau. A dweud y gwir, rôn i'n edrych ymlaen yn arw; yn fy nychmygu fy hun yn adrodd straeon am y tylwyth teg tra bod y pen melyn tlws yn pwyso yn erbyn f'ysgwydd. Mi eglurodd Helen nad oedd hi'n disgwyl imi wneud gwaith tŷ, dim ond cadw Seimon Huw yn hapus, ac rôn i'n fy llongyfarch fy hun ar gael gwaith mor ysgafn a phleserus. Mi ges i bŵl bach o boeni pan alwodd Dad arnon ni i fynd i'r gegin i gael paned cyn iddo fo a Helen gychwyn am y Cyngor Sir. Roedd o'n edrych mor gartrefol yno — wedi berwi'r tegell ac estyn mygiau a llwyau a ballu. Mi groesodd fy meddwl ei fod wedi hen arfer gwneud paned yng nghegin Helen. Ond wnaeth o ddim gafael amdani na dim ac roedd eu sgwrs nhw'n swnio'n hollol naturiol i mi. Mi benderfynais 'mod i'n hel meddyliau gwirion. Wedi'r cwbwl, tasai fo'n galw yn y tŷ weithiau i gael sesiwn o garu angerddol, fasai ganddo fo ddim amser i wneud paned.

Wedi iddyn nhw fynd, mi gymerais baned arall ac mi eisteddais yn gyfforddus i ddarllen y papur. Rôn i'n teimlo'n soffistigedig ac yn gyfrifol iawn ac yn meddwl 'mod i'n edrych fel dynes yn un o'r cylchgronau merched 'na mae Mam yn eu casáu. Rôn i'n teimlo y medrwn i'n hawdd iawn arfer â'r math yma o fywyd ac nad oedd dim rhaid imi boeni am ganlyniadau'r TGAU. I beth faswn i'n trafferthu mynd i'r coleg a chael gwaith? Y cwbwl fasai'n rhaid imi'i wneud fasai ffendio gŵr (Gethin fwy na thebyg) a chael bywyd braf yn eistedd mewn cegin yn darllen.

Mi swatiais yn is yn y gadair i freuddwydio, a'r munud hwnnw mi ddaeth sgrech fyddarol o'r llofft. Mi neidiais i fyny gan feddwl bod y nenfwd wedi disgyn ar Seimon Huw neu fod rhywun wedi torri i mewn ac ymosod arno fo. Mi ruthrais i fyny'r grisiau, yn ddewr i gyd — rôn i'n barod i roi fy mywyd i'w amddiffyn os oedd rhaid. Ond y cwbwl oedd wedi digwydd oedd 'fod o wedi deffro.

Dyna sut y bu hi drwy'r dydd wedyn. Mi sgrechiodd am ryw deirawr am 'fod o isio'i fam. A chyn gynted ag rôn i wedi'i dawelu ac wedi sodro cinio o'i flaen, mi sgrechiodd am nad oedd o'n licio *beefburgers*. Dôn i'n gweld dim bai arno fo am hynny — mi driais i un fy hun, ac mae'n rhaid imi gyfaddef eu bod nhw'n fwy tebyg i *rhinoburgers* na dim arall. Mae'n gwestiwn gen i a fuon nhw'n agos at fuwch erioed. Ond, ar ôl cydnabod hynny, mae'n rhaid dweud bod ymateb Seimon Huw braidd yn eithafol. Mi sgrechiodd ac mi'i lluchiodd ei hun a'r plât a'r bwyd o gwmpas y gegin fel tasai fo'n gwneud gymnasteg yn yr Olympics neu'n cymryd rhan mewn gornest reslo.

Mi ddaethon dros y gyflafan honno yn y diwedd trwy imi estyn pum lolipop coch o'r rhewgell a'u stwffio dan ei drwyn o. Roedd Helen wedi dweud mai dim ond un yr wythnos roedd o i fod i'w gael ond, mewn argyfwng, rhaid gweithredu'n bositif, fel y basai Mam yn ei ddweud. A doedd un yn cael dim math o effaith ar y sgrechian.

Mi dawelodd am dipyn ond wedyn mi wnes y camgymeriad o ofyn beth roedd o isio'i wneud.

"Parc," meddai fo.

Mi eglurais ei bod yn stido bwrw ac y basai'n well inni chwarae yn y tŷ.

"Parc," meddai fo wedyn.

Argol! Mae o mor gynnil efo geiriau ag y mae Gethin pan mae pobol eraill o gwmpas. Ond go brin bod Seimon Huw, yn bedair oed, wedi casglu'r fath gowdal o broblemau ag sydd gan hwnnw, y creadur.

"Parc," meddai fo am y trydydd tro.

Mi driais egluro nad oedd gen i fymryn o help am y glaw, nad duwies ôn i hyd yn oed os ôn i'n edrych fel un iddo fo. Ond doedd dim yn tycio. Mi sgrechiodd ac mi sgrechiodd ac, oni bai 'mod i wedi rhoi lolipop coch arall iddo fo ddeng munud cyn i Helen ddod i'r tŷ, mi fasai'n dal i sgrechian, am wn i.

"Popeth yn iawn, Del?" meddai Dad oedd wedi dod i mewn y tu ôl iddi hi. (*Mae* o i'w weld yn gartrefol iawn yn y tŷ 'na.)

Wnes i ddim ond amneidio'n fud. Rôn i'n teimlo fel taswn i wedi treulio diwrnod yn Beirut neu Belfast neu rywle a fedrwn i ddim disgwyl i gael mynd oddi yno.

Mi fydd yn rhaid imi fynd yn ôl fory. Tasai Gethin yn gwybod cymaint o aberth rydw i'n ei wneud er ei fwyn o, mi fasai'n sylweddoli mor bwysig ydi o imi. Ond mae o'n gwybod hynny'n barod. Ac mi wn i 'mod i'n bwysig iddo yntau. Dim ond fi sy'n gwybod cymaint roedd o'n edrych ymlaen at weld ei dad. O, gobeithio bod popeth yn mynd yn iawn iddo fo! Os medra i fyw trwy bythefnos o Seimon Huw a'i sterics, mi geith ddweud yr hanes i gyd wrtho i yn y Steddfod. Dim ond wrtho i y bydd y creadur swil, unig, gorjys yn medru dweud.

Dydd Mercher, Gorffennaf 25

Doedd gen i ddim amynedd sgwennu neithiwr a does
gen i fawr o awydd heno chwaith. Mae pob diwrnod fel
oes, ac oni bai 'mod i'n medru ticio'r calendar bob nos
a chyfri'r dyddiau at y Steddfod mi faswn wedi drysu'n
lân. Dim ond naw arall i fynd ac mi ga i weld Gethin!

Mae Seimon Huw — neu Seimon Hunlle ddylwn i'i
ddweud — cyn waethed ag erioed. Ddoe, mi fûm yn
ddigon gwirion i drio'i gael i baentio. Mam oedd wedi
awgrymu ella y basai gwneud rhywbeth creadigol yn
cael dylanwad da arno fo, yn rhoi cyfle iddo gael gwared
o'i rwystredigaeth neu ryw rwtsh felly. Mi gafodd wared
o hwnnw'n iawn. Mi luchiodd y paent i bob cyfeiriad a
dim ond trwy lwc y glaniodd ambell smotyn ar y papur
— roedd 'na fwy o lawer hyd y bwrdd a'r llawr. Mi ges
i fy nhemtio'n o arw i gael gwared o dipyn o fy
rhwystredigaeth fy hun trwy rwbio trwyn y cythraul
bach yn y llanast, ond mi ges ras ymatal o rywle. Erbyn
i Helen gyrraedd adre, rôn i wedi clirio'n o lew, er bod
y bwrdd yn dal i edrych braidd yn binc. Mi gododd
Helen y llun yn syth. Doedd o'n ddim byd ond sploj
coch efo dipyn o smotiau o'i gwmpas, ond mi
wirionodd.

"O, da iawn, cariad!" meddai hi mewn llais fath â
blwmonj wedi toddi. "Beth ydi o, pwtyn?"

"Deliff," meddai'r mwnci digywilydd, ac mi
chwarddodd Dad dros y lle. (Oedd, roedd o yno eto.)

"Yr un ffunud!" meddai fo gan roi'i fraich amdana i
a gwenu ar Seimon Huw fel tasai hwnnw'n Picasso neu
rywun. "Mae'n amlwg eich bod chi'ch dau'n dipyn o

ffrindiau. Mi gewch ddigon o gwmni'ch gilydd yn y dyfodol.''

Mi droais fy mhen i weld a oedd Helen ac yntau'n wincio ar ei gilydd. Ond fûm i ddim yn ddigon sydyn. Roedd Helen yn dal i blygu'i phen dros y llun erchyll ac roedd Dad yn edrych yn glên arna i. Beth ar y ddaear roedd o'n ei feddwl? Dydi o 'rioed yn bwriadu dod yma i fyw? Wel, un peth sy'n saff — os ydi o, mi geith ddod ei hun. Wna i ddim treulio eiliad yn fwy nag sydd rhaid imi o fewn can milltir i Seimon Huw.

Erbyn meddwl, mae'n siŵr mai fi sy'n poeni'n wirion. Mi ddaeth Dad adre efo fi wedyn, ac mi fu o a Mam yn ofnadwy o glên efo'i gilydd drwy'r gyda'r nos. Mi ddangosodd Dad gydymdeimlad hefyd pan fentrais i awgrymu nad ydi Seimon Huw chwarter mor angylaidd â'i olwg.

"Dos â fo i'r parc," meddai fo'n wreiddiol iawn. "Mi wneith chwarae efo plant eraill les iddo fo. Rydw i'n amau bod Helen a'i gŵr yn ei ddifetha fo braidd."

Ew! Rôn i'n falch o'i glywed o'n dweud hynny!

Mi ddilynais ei awgrym o'r bore 'ma, ond weithiodd y cynllun ddim. Mi ddyrnodd y cythraul bach bob plentyn arall yn y parc, ac mae'n lwcus 'mod i'n ferch i heddychwraig neu mi fasai wedi cael peltan go egr gen i. Ond mae'r ffaith bod Dad wedi beirniadu Helen yn codi fy nghalon i'n arw. Rydw i'n siŵr nad oes 'na ddim byd rhyngddyn nhw wedi'r cwbwl.

Dydw i ddim yn meddwl bod Tracy'n hoff iawn o'i gwaith hi chwaith. Mae hi'n dal i fynd allan efo Gareth bob nos a, chyn belled ag y medra i'i weld, mae popeth yn iawn yn fan'no. Ond mae hi wedi mynd yn ddistaw, ryfedd. Does 'na ddim sgwrs i'w gael ganddi hi ac rydw i'n poeni amdani hi braidd. Mae hi'n mynd o gwmpas yn mwmial pethau fel,

"Yr arglwydd cynta, William Henry. Adeiladodd y plas yn 1734."

Mae'n swnio'n anhygoel o ddiflas i mi, ac mi fasai i Tracy hefyd tasai hi yn ei hiawn bwyll. Ond mae hi fel tasai hi wedi gwirioni.

"Wyt ti'n bwriadu gwneud gyrfa o'r peth?" meddwn i wrthi amser swper. "Wyt ti am dywys Saeson o gwmpas ar hyd dy oes?"

"Nagw," meddai hi gan roi gwên fach swil, hollol wahanol iddi'i hun. "Ond mae e'n ddiddorol iawn."

Wel, pawb at y peth y bo, mae'n debyg. Does gen i ddim math o ddiddordeb mewn hanes nac achau na dim byd fel 'na — mae'r teulu sydd gen i'n fyw yn ddigon o boen, heb imi fynd i chwilio am rai sydd wedi marw. Ond, er mor ddiflas mae o'n swnio, fedr o ddim bod yn waeth na Seimon Hunlle a'i sterics. Argol! Mi fydda i wedi ennill fy hanner canpunt erbyn nos Wener!

Dydd Iau, Gorffennaf 26

Wel, rydyn ni wedi cael carafán ar gyfer wythnos y Steddfod. Mi fydd Tracy a Nerys a finnau'n rhannu ac mi geith ffrindiau ddod aton ni i gael paned a ballu. Mwy o ballu nag o baned, mae'n siŵr, er na feiddia i sôn am hynny wrth neb ar hyn o bryd. Dydw i ddim yn meddwl bod Nerys a Tracy'n sylweddoli bod Gethin yn mynd i'r Steddfod hefyd. Maen nhw fel tasen nhw wedi anghofio'n llwyr amdano fo. Ond dydw i ddim wedi anghofio: rydw i'n meddwl amdano fo bob awr o'r dydd ac yn breuddwydio amdano fo bob nos. O, rydw i'n edrych ymlaen! Yr unig drafferth ydi bod Mam a Dad wedi penderfynu dod i'r Steddfod hefyd. Maen nhw wedi cael benthyg carafán gan yr un bobol ac mi fyddan yn aros yn yr un cae â ni. Mi gafodd Mam dipyn o waith i berswadio Dad — roedd o'n trio dweud na fedran nhw ddim fforddio — ond mi lwyddodd i fynd dros ei ben o yn y diwedd, wrth gwrs. A does 'na ddim sôn bod disgwyl iddi hi dalu hanner y costau. Argol! Dydi rhai pobol ddim yn gwybod 'u geni!

O, gobeithio na wneith Mam a Dad ddim busnesu efo ni! Siawns na fyddan nhw'n brysur yn mwynhau'r diwylliant, a beth bynnag, yn ôl Judith a Rhiannon, mae'r cae yn anferth a miloedd ar filoedd o garafanau yno. Mae o'n debyg i dre fechan, medden nhw, ac felly mi ddylwn gael llonydd i'm mwynhau fy hun.

Ffrindiau i Parri Bach, sy'n byw wrth ymyl y Steddfod, sy piau'r carafanau. Mae'n syndod gen i bod gan y surbwch hwnnw ffrindiau yn unman, ond ddylwn i ddim bod yn anniolchgar, mae'n debyg. Wrthi'n hel sbwriel yn y parc roedden ni pan soniodd o am y peth — nid 'mod i'n gwneud hynny o ddewis ond Mam a Parri Bach ydi dau aelod pwysica C.A.C. — Concro Aflendid Creulon. Nhw ffurfiodd y mudiad ac, os ydi llythrennau'u henw nhw braidd yn anaddas, mae'n rhaid imi gyfaddef eu bod nhw'n gwneud gwaith da. Roedd y parc yn edrych yn ddelach o lawer wedi inni gasglu'r holl bapurau fferins a chreision oedd hyd y lle, ac rôn i'n falch 'mod i wedi cymryd fy mherswadio i helpu. Wnes i ddim cyfaddef, wrth gwrs, mai Seimon Huw oedd yn gyfrifol am hanner y llanast.

Mam ddigwyddodd sôn ein bod ni angen carafanau ac mi ddeudodd Parri Bach yn syth y medrai fo drefnu inni. Rôn i wedi gwirioni ac mi redais yn syth i ddweud y newyddion da wrth Tracy a Nerys oedd ar eu boliau dan y llwyni'n codi papurau sglyfaethus o fudr. Roedd Nerys wrth ei bodd, ond ddeudodd Tracy fawr ddim. Beth sy'n bod arni hi? Mi faswn i'n meddwl y basai cael wythnos heb y Gareth wirion 'na'n beth i edrych ymlaen ato. Mae agwedd Nerys yn iawn, diolch byth! Mae hi'n edrych ymlaen, meddai hi, at gael dipyn o hwyl, jest ni'r genod efo'n gilydd. Gobeithio na fydd hi ddim yn flin pan welith hi Gethin, ond rydw i'n falch iawn ei bod hi'n callio ac yn dechrau alaru ar y llipryn Dewi 'na.

Ella y dylwn i drio cael sgwrs efo Tracy fory.

Dydd Gwener, Gorffennaf 27

Hanner canpunt! Mi roddodd Helen y papurau glân yn fy llaw i'r pnawn 'ma pan ôn i a Dad yn gadael ei thŷ hi. Mi ddiolchais yn ddiffuant iawn, ond rydw i'n teimlo 'mod i wedi ennill pob dimai! Mae Seimon Huw yn mynd yn fwy o hunlle bob dydd. Does 'na ddim byd ond lolipops coch yn ei gadw'n hapus. Roedd Helen dipyn bach yn flin pan ffendiodd hi bod y bocs anferthol o lolipops roedd hi'n ei gadw yn y rhewgell yn hollol wag erbyn pnawn 'ma.

"Mae gormod o *additives* yn ddrwg iddo fo," meddai hi. "Mae o'n tueddu i fod yn *hyperactive* ar ôl eu cael nhw."

Ar ôl eu cael nhw! Rydw i'n licio hynna! Mae'r cythraul bach yn *hyperactive* o'r eiliad mae o'n deffro yn y bore. Hyd yn oed yn yr eiliadau prin pan mae o'n ddistaw ac yn llonydd, rydw i'n teimlo fel aelod o sgwad gwrthderfysgaeth yn gwylio bom sydd ar fin ffrwydro.

Mi driais i gael sgwrs efo Tracy heno. Rôn i'n teimlo, ar ôl fy mhrofiad efo Gethin, 'mod i'n eitha cyfarwydd â thrin problemau pobol ac y medrwn i fod o help iddi hi. Mi es i i'w llofft hi gynnau a dyna lle'r oedd hi'n eistedd efo miloedd o ddarnau papur o'i blaen oedd yn edrych yn debyg i siartiau i mi. Ches i ddim gwên o groeso na dim. A dweud y gwir, mi amneidiodd yn ddigon swta arna i i fynd, ond wnes i ddim digalonni. Mi eisteddais yn amyneddgar ac edrych arni. Erbyn sbio'n fanwl, roedd hi'n amlwg mai cart achau teulu'r plas oedd ganddi, ac mi feddyliais y baswn i'n ei gwneud yn haws iddi fwrw'i bol trwy smalio cymryd diddordeb ynddyn nhw.

"William Henry oedd yr arglwydd cynta?" meddwn i'n ddeallus gan godi un o'r papurau a chraffu arno fel tasai fo'r peth mwya diddorol yn y byd.

"Ie," meddai hithau heb godi'i phen. Rôn i'n siomedig fod fy nhacteg i wedi methu, ond mi benderfynais roi un cynnig arall arni. Mi edrychais eto ar y papur yn fy llaw.

"A Henry oedd yr ail arglwydd," meddwn i. "A William oedd y trydydd. O, ac edrych! Henry William oedd y pedwerydd! Doedd ganddyn nhw ddim llawer o ddychymyg efo enwau, nag oedd!"

Mi chwarddodd Tracy wedyn, ac am eiliad roedd hi'n debyg iddi hi'i hun.

"Nag oedd!" meddai hi. "A gweud y gwir, penne bach oedden nhw i gyd. Mae meddwl amdanyn nhw'n lordo yn y plas tra bo pobol yn llwgu o'u cwmpas nhw'n codi bola tost arna i!''

Fedrwn i ddim deall felly pam fod ganddi gymaint o ddiddordeb ynddyn nhw, ond mi aeth yn ei blaen i egluro.

"Ond mae'r teulu'n mynd lot ymhellach yn ôl na William Henry. Edrych! Cymry oedden nhw ers talwm! Mae'u hachau nhw'n mynd yn ôl at Lywelyn Fawr!''

Fu gen i 'rioed fawr o ddiddordeb yn Llywelyn Fawr nac unrhyw Lywelyn arall o ran hynny. Mi ges i lond bol yn 1982, pan oedd Mam yn fy llusgo i i rali C.N.D. un dydd Sadwrn, ac i rali i gofio un o frwydrau Llywelyn ein Llyw Olaf y Sadwrn nesa. Mi fuon ni'n ôl ac ymlaen rhwng 'byw mewn hedd' a 'malu'r Saeson' am fisoedd, a fedrwn i weld fawr o sens yn y peth. Ond er mwyn cael Tracy i ymlacio, rôn i'n fodlon dangos diddordeb ac, ymhen dipyn, mi deimlais ei bod yn saff imi ofyn,

"Wyt ti'n iawn? Ydi meddwl am ddod i'r Steddfod heb Gareth yn dy boeni di?''

"Nag yw,'' meddai hi'n syth. "Bydde'n well 'da fi'i gael e 'da fi, wrth gwrs. Ond galla i gael amser da hebddo fe hefyd. So i'n ddibynnol arno fe!''

Wn i ddim am hynny. Yr argraff rydw i wedi'i gael dros y misoedd diwetha ydi'i bod hi'n ddibynnol iawn ar y lembo. A dweud y gwir, wrth weld y ffordd mae'r ddau'n pwyso ar ei gilydd wrth fynd ar hyd y traeth, rydw i wedi amau ambell waith a fedr hi gerdded hebddo fo! Ond roedd yn rhaid imi'i chymryd hi ar ei gair, ac fe'm trawodd i'n sydyn y gallai rhywbeth gwaeth o lawer fod yn ei phoeni hi. Ella bod hithau wedi sylwi bod Dad yn treulio lot o amser efo Helen. Mi frysiais i leddfu'i hofnau.

"Dydi Dad ddim yn cael *affair*," meddwn i. "Dim ond ffrindiau ydi o a Helen."

"Wy'n gwbod," meddai hithau'n syth. "So ti 'riôd yn poeni am hynny? Trafod busnes maen nhw, dyna'r cwbwl."

Dôn i ddim yn siŵr a ôn i'n lecio sŵn hynna. Wedi'r cwbwl, mae unrhyw beth sy'n fusnes i Dad yn fusnes i ni hefyd. Ond mae'n siŵr mai cyfeirio at y Cyngor Sir roedd Tracy, ac mae'n amlwg nad oedd Dad yn poeni dim arni. Mi benderfynais drio unwaith eto.

"Oes gen ti broblem?" meddwn i. "Ella y medra i helpu."

"Na elli," oedd yr ateb pendant ges i, cyn iddi blygu dros y papurau eto. "Wy'n brysur, Del. Cer nawr."

Mi ddes yn ôl i fy llofft fy hun, a dim ond ar ôl cyrraedd yma y sylweddolais i nad oedd hi wedi gwadu bod ganddi broblem. Y cwbwl ddeudodd hi oedd na fedrwn i ddim helpu. Wel, diolch yn fawr, Tracy! I beth mae chwaer yn dda, leciwn i wybod, os na fedr rhywun rannu problemau? Mae'n amlwg nad ydi hi ddim yn fy ngwerthfawrogi i fel y mae Gethin. Mae o'n gwybod 'mod i'n berson sensitif, aeddfed, ac mae o'n *falch* o gael dweud ei gŵyn wrtha i.

Rhwng Tracy a'i phethau felly. Fedra i ddim peidio â phoeni braidd amdani, ond dydw i ddim yn mynd i adael i hynny ddifetha fory imi. Fory, rydw i am baratoi fy nillad a phrynu ambell i beth newydd ar gyfer y Steddfod. Ac rydw i am eillio fy nghoesau a phaentio f'ewinedd a socian yn hir yn y bàth i feddalu fy nghroen.

Ella y tria i'r driniaeth ciwcymbers eto. Saith diwrnod arall ac mi ga i weld Gethin!

Dydd Sadwrn, Gorffennaf 28

Fedra i ddim cysgu. Rydw i wedi trio ond mae gormod o bethau'n mynd trwy fy meddwl i. Wel, un peth a bod yn fanwl gywir. Un peth yn mynd rownd a rownd ac yn ôl ac ymlaen nes rydw i bron â drysu. Y pnawn 'ma, mi welais Dad a Helen yn dod o dŷ gwag yn y dre. Hen siop ydi hi efo fflat uwch ei phen ac mae hi ar werth ers misoedd. Ydi Dad a Helen yn meddwl prynu'r lle? Ydyn nhw'n bwriadu mynd yno i fyw efo'i gilydd? Faswn i'n gweld dim bai ar Helen am fod isio gadael Seimon Huw, ond pam bod yn rhaid iddi fynd â 'nhad i efo hi? Ella nad ydi'n tŷ ni ddim yn baradwys ac ella nad ydi Mam a Dad mo'r pâr mwya dedwydd yn y byd, ond rydyn ni i gyd wedi arfer efo pethau fel maen nhw. A dydw i ddim isio newid. Dydw i ddim isio bod fel Gethin druan yn symud fel *yo-yo* rhwng ei fam a'i dad.

Fedra i ddim cael y peth o'm meddwl. Mi leciwn i godi i wneud paned neu rywbeth, ond mae arna i ofn, taswn i'n symud, y basai Seimon Huw yn deffro, ac mi faswn i'n drysu go iawn wedyn. Rydw i'n cysgu yn nhŷ Helen heno. Mi ffoniodd hi tua chwech i ofyn imi warchod ac mi dderbyniodd Dad drosto i heb ymgynghori. Rôn i'n meddwl bod ganddi wyneb i ofyn a hithau ar fin chwalu fy hapusrwydd i ac, oni bai 'mod i wedi gwario cymaint ar ddillad y pnawn 'ma, mi faswn wedi gwrthod yn bendant. Ond gan ei bod yn cynnig pumpunt, a chan fod mynd i'r Steddfod mor bwysig imi, mi benderfynais lyncu fy egwyddorion.

A dyma fi — yn llofft sbâr y ddynes sydd wedi dwyn fy nhad i. Mae rhai o'i dillad hi'n hongian y tu ôl i'r drws ac rydw i wedi gorfod cwffio'r demtasiwn i'w rhwygo nhw'n rhacs grybibion. Mae'n siŵr mai Dad sydd wedi prynu'u hanner nhw iddi hi. Ac mae'n siŵr mai anrheg ganddo fo oedd y gadwyn aur oedd ganddi am ei gwddw wrth gychwyn allan gynnau. Dyna lle mae'i bres o'n mynd. Dyna pam 'mod i'n gorfod slafio'n sychu trwyn a cheg a phen-ôl Seimon Huw er mwyn cael mynd i'r Steddfod. Am fod Dad yn gwario ar y jadan goman sy'n mynd i ddryllio'n teulu ni. Mae'n amlwg nad oes ganddi ddim cydwybod. Roedd hi'n chwerthin ac yn sgwrsio'n hapus pan gyrhaeddais i heno. Ac mi fu'n ddigon haerllug i roi sws i'w gŵr yn fy ngŵydd i! Tasai hwnnw druan ond yn gwybod! Mae o'n ddel ac yn ifanc ac yn andros o ddymunol, a fedra i ddim deall pam ei bod hi'n meddwl ei adael o i fyw efo *has-been* canol oed fath â Dad. Dydi hi ddim yn gwybod, mae'n amlwg, ei fod o'n treulio'i amser i gyd yn gwneud *press-ups* ac yn gadael darnau o foron wedi'u gratio hyd y gegin.

Tybed fasai 'na bwynt imi ddweud wrthi hi? Ond na. Mae hi'n gweithio efo fo ers blwyddyn a go brin bod Dad yn wahanol iawn yn ei waith i'r hyn ydi o gartre. Mae'n rhaid ei bod hi'n lecio hen ddynion diflas. Wrth gwrs, mae hi'n caru Seimon Huw hefyd, ac mae hynny'n profi nad oes ganddi hi fawr o chwaeth.

O, beth rydw i'n mynd i'w wneud? Ddylwn i ddweud wrth Mam? Ynteu ddylwn i ddweud wrth Dad 'mod i'n gwybod a phwyso arno fo i beidio â gwneud ffŵl ohono'i hun? O, Gethin! Rôn i'n ei bitïo fo'n ofnadwy cynt ond,

rŵan, mi fedra i gydymdeimlo go iawn efo fo. Pan wela
i o yn y Steddfod, mi fedra i ddweud 'mod i'n gwybod
yn union sut mae o'n teimlo. Ac ella y medr o fy
nghynghori i. Dyna fasai orau imi'i wneud. Aros nes y
ca i ddweud fy nghwyn wrth Gethin. Mae o'n hogyn
mor sensitif mi ddeudith o wrtha i sut i ddelio â'r
sefyllfa erchyll 'ma.

Dydd Sul, Gorffennaf 29

Wn i ddim a fedra i ddioddef nes y bydda i'n gweld
Gethin ddydd Sadwrn. Ac wn i ddim sut mae o wedi
dioddef yr holl flynyddoedd. Mae'n rhaid ei fod o'n
andros o gry a dewr, yn ogystal â bod yn sensitif ac yn
deimladwy. O rydw i'n lwcus! Fasai Gethin byth yn fy
nhwyllo i fel mae Dad yn ein twyllo ni i gyd, a fasai fo
byth yn amddifadu plentyn o'i fam — hyd yn oed
plentyn mor echrydus o annymunol â Seimon Huw.

Y bore 'ma, pan ddeffrais i, rôn i'n teimlo'n eitha
caredig tuag at Seimon Huw: wedi'r cwbwl, mae o, y
creadur bach, yn yr un cwch â mi, mewn ffordd. Mae'n
teuluoedd ni'n dau'n mynd i gael eu dryllio'n fuan
iawn. Pan roddodd ei sgrech gynta, tua hanner awr wedi
wyth, mi es i mewn ato a dweud, mewn llais rhyfeddol
o fywiog o ystyried 'mod i dan y fath straen,

"Krispies ynteu Frosties gymri di'r bore 'ma?"

Wnaeth y mwnci ddim byd ond sgrechian yn uwch,
ac mi ddiflannodd fy nheimladau caredig i'n ddigon
sydyn. Doedd 'na ddim golwg o Helen na'i gŵr. Mae'n
rhaid eu bod nhw'n dal i gysgu — er, wn i ddim sut y
medr hi rannu gwely efo fo a hithau mewn cariad efo
Dad. Mi gariais Seimon Huw yn un bwndel sgrechlyd

i lawr i'r gegin, ac mi ruthrais am y rhewgell i estyn lolipops coch. Wrth gwrs, doedd 'na ddim un ar ôl a'r unig beth y medrwn ei wneud i dawelu'r sgrechian — oedd erbyn hyn yn swnio fel seiren rhyfel niwclear — oedd sodro paced o bys wedi'u rhewi o flaen y cythraul bach. Mi lwyddais rywsut i'w argyhoeddi mai hufen iâ tylwyth teg oedd y pys, ac mi aeth ati i'w stwffio i'w geg fel tasai fo'n trio torri record y byd.

Mi flinodd ar ôl dipyn, wrth gwrs, ac mi ddechreuodd daflu'r pys i'r awyr a thrio'u dal yn ei geg. Ond fedr ceg Seimon Huw hyd yn oed ddim bod ym mhobman ar unwaith ac, erbyn i Helen a'i gŵr ddod i lawr, roedd y gegin yn edrych fel tasai storm o eira gwyrdd newydd daro'r lle. Roedd Helen braidd yn flin, ond dôn i ddim yn teimlo'n euog o gwbwl. Wedi'r cwbwl, mae hi ar fin gwneud mwy o lanast o fy mywyd i nag y gwnes i o'i chegin hi. Ac mae bywydau filwaith yn bwysicach na cheginau, yn ôl Mam.

Mi aeth tad Seimon Huw â fo am dro wedyn, ac rôn i'n teimlo'n ofnadwy o annifyr yn eistedd yn cael paned efo Helen. Doedd hi ddim yn edrych yn goman, a fasech chi byth yn breuddwydio'i bod hi'r teip i gael *affair*. A dweud y gwir, roedd hi'n siarad yn annwyl iawn am ei gŵr a'i mab. Ond fedrwn i ddim ymateb, yn enwedig pan oedd hi'n canu clodydd Seimon Huw. Mae cariad yn ddall, medden nhw, ond os ydi hi'n caru hwnna, mae'n rhaid bod cariad yn fyddar hefyd!

Ymhen hir a hwyr, mi gyrhaeddodd Dad i fy nôl i. Ac os ôn i'n teimlo'n annifyr cynt, rôn i'n laddar o embaras wedyn. Mi wnaeth Dad baned iddo'i hun ac mi eisteddodd i sgwrsio fel tasai fo gartre. A dweud y gwir,

roedd o'n edrych yn fwy cartrefol nag y bydd o gartre —
rhyw eistedd ar flaen ei gadair y bydd o yn fan'no, fel
tasai fo'n barod i jogio am y drws y munud y bydd Mam
yn dechrau pregethu. Ond yng nghegin Helen, roedd
o'n ymlacio'n llwyr. Mi soniodd am y Steddfod ac mi
bwysodd ar Helen i ddod hefyd.

"Mi faset ti'n mwynhau," meddai fo. "Ac mi fasai
Seimon Huw wrth ei fodd mewn carafán. Mi fasai
Delyth yn gwarchod iti ambell noson."

Ond ysgwyd ei phen a wnaeth Helen.

"Mi fydd gan yr hogan bethau gwell i'w gwneud,"
meddai hi.

"Clywch, clywch!" meddwn innau. Am funud, rôn
i'n fy nheimlo fy hun yn cynhesu ati, ond wedyn, pan
glywais i'r hyn roedd gan Dad i'w ddweud wrth godi i
fynd, mi oerais yn ddigon sydyn.

"Wyt ti wedi sôn am y cynlluniau?" meddai fo.

"Dim eto," meddai hithau heb arlliw o gywilydd.
"Mi wna i heno, pan fydd tymer dda arno fo."

A finnau'n sefyll yn fan'no! Sôn am wyneb! Nefoedd!
Maen nhw'n dweud fod pobol ifanc yn hunanol, ond
welais i 'rioed neb mor anystyriol o deimladau pobol
eraill â Helen a Dad!

Wnes i ddim siarad efo Dad ar y ffordd adre, a dydw
i ddim wedi torri gair efo fo drwy'r dydd, er ei fod wedi
bod yn y llofft 'ma ddwywaith neu dair yn holi beth sy'n
bod. Dydw i ddim wedi siarad efo neb arall chwaith.
Mae Mam wedi bod efo Parri Bach drwy'r dydd a'r
gyda'r nos, y ddau'n sefyll fath â dau bolyn wrth ochr
y lôn fawr yn cyfrif faint o geir sy'n mynd heibio am ryw
reswm sy'n gwneud synnwyr iddyn nhw, mae'n siŵr.

Roedden nhw yno'r bore 'ma, pan oedd Dad a fi ar y ffordd adre, ac yn edrych yn rêl ffyliaid. Mi stopiodd Dad ac agor y ffenest.

"Oes gynnoch chi ddigon o fysedd, Aneurin?" holodd yn glên. "Ynteu fasech chi'n licio cael benthyg cyfrifiannell?"

"Dim diolch," meddai Mam cyn i Parri Bach gael cyfle i dynnu'i bensil o'i geg. "Mae rhai pobol yn medru gwneud heb beiriannau. Mi fasai'r byd 'ma'n well lle tasai pawb yn dilyn ein hesiampl ni."

Cyfeirio roedd hi, wrth gwrs, at y ffaith bod Dad wedi dod i fy nôl i yn lle gadael imi gerdded adre. Roedd hi'n gweld bai arna i am fod yn ddiog a llygru'r amgylchedd efo petrol. Tasai hi ond yn gwybod! Mae Dad yn fwy llygredig na'r car mwya yn y byd ac yn falch o unrhyw esgus i fynd i dŷ Helen!

Felly, doedd Mam ddim yma imi siarad efo hi, hyd yn oed taswn i'n medru magu'r dewrder. A dydi Tracy ddim help yn y byd mewn argyfwng. Mae hi'n dal i dreulio'i hamser i gyd yn stydio'r cart achau, ac rydw i'n amau a fasai hi'n sylwi tasai Dad yn symud allan. Na Mam na finnau chwaith o ran hynny. O, mi leciwn i tasai Dylan yma! Mi ddylai fod yma: mae tynged y teulu yn y fantol! Ond does gen i ddim syniad sut i gysylltu efo fo. Tybed fasai Interpol yn helpu? Mae'n saff bod yr achos yn ddigon pwysig i mi, beth bynnag.

Ond beth fedrai Dylan ei wneud? Dydi yntau erioed wedi bod mewn sefyllfa fel hyn o'r blaen. Gethin rydw i'i isio. Gethin sensitif, ddoeth. Fo ydi'r unig un a fedr fy helpu i. O, fedra i ddim aros tan ddydd Sadwrn!

Dydd Llun, Gorffennaf 30

Mi ges i sgwrs efo Tracy heno ac, o'r diwedd, rydw i'n deall beth sydd wedi bod yn ei phoeni hi'r dyddiau diwetha 'ma. Pan ddes i adre ar ôl diwrnod erchyll arall yn trio cadw Seimon Huw rhag malu'r tŷ a chlustiau pawb yn y gymdogaeth, roedd Tracy wedi cyrraedd o 'mlaen i. Doedd dim yn rhyfedd yn hynny: rôn i'n hwyrach nag arfer gan fod Helen (a Dad) yn gweithio'n hwyr. Ond roedd ymddygiad Tracy yn rhyfedd. Roedd hi'n eistedd yn edrych trwy ffenest ei llofft a golwg ddigalon iawn ar ei hwyneb. Doedd ganddi ddim awydd mynd allan efo Gareth heno, meddai hi pan holais i, a doedd ganddi ddim awydd dod am dro efo fi chwaith.

"Pam nad ei di am jog efo Dad?" meddwn i. Dôn i ddim yn hollol anhunanol yn cynnig hynny, er 'mod i'n teimlo y basai'n gwneud lles iddi. Rôn i'n meddwl hefyd y basai'n medru cadw llygaid arno, rhag iddo fo jogio'n syth i dŷ Helen a gwneud mwy o ymarfer corff yn fan'no!

Ond ysgwyd ei phen a wnaeth hi. Doedd ganddi ddim awydd gwneud hynny chwaith.

"Dydw i'n gweld dim bai arnat ti," meddwn i gan drio bod yn ysgafn. "Dydi Dad ddim yn beth faset ti'n ei alw'n gwmni difyr y dyddiau yma!"

"Paid â chwyno!" meddai hi'n ddigon blin. "O leia, rwyt ti'n gwybod pwy yw dy dad. Does 'da fi ddim syniad!"

Mi ddaeth y cwbwl allan wedyn. Wrth stydio cart achau'r plas, roedd hi wedi dechrau meddwl peth mor ddifyr oedd medru olrhain teulu yn ôl. Ac wedyn, roedd hi wedi sylweddoli na fedrai hi ddim gwneud hynny —

na fedrai hi ddim mynd un genhedlaeth yn ôl hyd yn oed. Ac roedd hynny wedi gwneud iddi ddechrau meddwl am ei thad a phendroni sut un oedd o a ballu.

Dôn i ddim yn gweld bod ganddi broblem. Tasai hi ond yn gwybod cymaint o boen mae 'nhad i'n ei achosi i mi ar hyn o bryd! Ond dôn i ddim isio ychwanegu at ei phryderon hi, felly wnes i ddim sôn am hynny. Mi benderfynais mai gwneud iddi chwerthin oedd yr ateb.

"Fasai gen i ddim awydd olrhain fy nheulu," meddwn i. "Beth taswn i'n ffendio 'mod i'n perthyn i Hitler neu rywun? Mae Dad yn ddigon tebyg i hwnnw weithiau. A synnwn i ddim nad oes 'na wallgofrwydd yn nheulu Mam yn rhywle. Fedri di feddwl am unrhyw beth mwy hurt na sefyll ar ochr y ffordd yn cyfri ceir?"

Iesgob! Rôn i'n fy ffansïo fy hun yn dipyn o seicolegydd. Mae'n amlwg bod gen i ddawn arbennig i ddelio efo problemau pobol, ac mi ddylai'r Claire Rayner 'na watsiad ei hun — mi fedrwn gymryd ei lle hi'n hawdd iawn. Ond, yn anffodus, wnaeth y seicoleg ddim gweithio efo Tracy. Wnaeth hi ddim chwerthin, dim ond ysgwyd ei phen yn drist a dweud,

"Bydde hynny'n well na pheidio â gwybod."

Mi benderfynais bod yn rhaid galw ar Mam, a chwarae teg iddi, pan eglurais i'r sefyllfa, mi adawodd ei thomen gompost (sydd, gyda llaw, yn drewi'n fwy llygredig nag unrhyw beth arall yn y cyffiniau 'ma) ac mi aeth i fyny at Tracy. Mi gaeodd ddrws y llofft ac mi fu'r ddwy'n siarad am hydoedd, tra 'mod i'n hofran fel rhyw belican ar y landin. Pan es i mewn wedyn, roedd Tracy'n wên o glust i glust ac mi eglurodd bod Mam wedi dweud mai cymdeithas fatriarchaidd ydi'r

Gymdeithas Gymreig. Doedd gen i ddim syniad beth oedd ystyr hynny — roedd o'n swnio'n rhywbeth budr iawn i mi — ond mi aeth Tracy ati i 'ngoleuo i. Mae'n debyg mai trwy ochr y fam y dylen ni i gyd olrhain ein hachau, ac mae Mam wedi addo mynd â Tracy i weld ei Anti Bet ar ôl y Steddfod ac wedi addo'i helpu i ddarganfod hanes teulu'i mam. Roedd Tracy wedi sirioli drwyddi ac, yn amlwg, wedi llyncu damcaniaeth ryfedd Mam yn llwyr.

"Bydde'n ddiddorol ca'l gwybod pwy oedd 'nhad," meddai hi'n hapus, "ond so i'n credu y bydden i'n 'i hoffi fe 'ta beth! Fe wnaeth e shwt dro sâl â fy mam. So tade'n werth dim a gweud y gwir!"

Dydw i ddim mor siŵr am hynny. Mae 'nhad i'n werthfawr i mi a dydw i ddim isio iddo fo'n gadael ni. Mae'n braf iawn ar Tracy. Cyn gynted ag y mae ganddi hi broblemau, mae pawb yn rhuthro o gwmpas yn trio'u datrys nhw. Does neb yn poeni amdana i. A does gen i neb y medra i fwrw fy mol wrtho fo. Mae mor braf gweld Tracy'n ôl yn hi'i hun eto, dydw i ddim isio gwneud na dweud dim i'w phoeni. A fedra i ddim dweud wrth Mam. Mae hi mor brysur yn poeni am y blaned, dydi hi ddim yn sylwi ar yr hyn sy'n digwydd dan ei thrwyn hi. O, dydi bywyd yn ddim ond un broblem hir!

Dydd Mawrth, Gorffennaf 31

Roedd heddiw'n eitha diwrnod, er gwaetha'r BROBLEM FAWR. Mi benderfynais y bore 'ma na fedrwn i ddim treulio diwrnod arall ar fy mhen fy hun efo Seimon Huw, ac mai'r unig beth i'w wneud oedd mynd â fo i weld y plas lle mae Tracy'n gweithio. Rôn i'n sylweddoli 'mod i'n mentro'n o arw a'i bod hi'n eitha tebygol y basai'r cythraul bach yn malu holl drysorau'r arglwydd cynta a phob arglwydd arall. Rôn i wedi penderfynu na fasai ddim ots gen i am hynny, hyd yn oed taswn i'n cael y sac. Dydw i ddim yn meddwl y medra i stumogi tair wythnos arall o Seimon Huw ar ôl y Steddfod.

Ond heddiw, trwy ryw ryfedd wyrth, mi fyhafiodd fel angel bach — neu, o leia, mi fyhafiodd ar ôl inni gyrraedd y plas. Roedd o fel y gŵr drwg ei hun ar y bws ar y ffordd yno, yn rhedeg i fyny ac i lawr yn cicio coesau pobol ac yn tynnu'u gwalltiau nhw. Mi eisteddais i'n edrych allan trwy'r ffenest gan obeithio na fasai neb yn deall 'mod i efo fo, ond ar ôl iddo fo ddyrnu'r gyrrwr yn ei gefn, mi awgrymodd hwnnw'n bendant iawn ein bod ni'n dau'n mynd i lawr i gerdded. Roedden ni tua dwy filltir o'r plas ac mi fu'n rhaid imi lusgo Seimon Huw ar hyd y ffordd a hwnnw'n sgrechian fel taswn i'n trio'i herwgipio fo neu rywbeth. Rôn i'n hanner disgwyl i rywun ffonio'r heddlu, ond doedd hynny'n poeni dim arna i. Mi fasai pum munud yn nghwmni Seimon Huw yn ddigon i brofi i blismon hyd yn oed na fasai neb yn ei iawn bwyll yn cymryd y cythraul ar blât, heb sôn am ei ddwyn o.

Erbyn inni gyrraedd y plas, roedd o wedi'i sgrechian ei hun i stop. Roedd o wedi blino'n lân — nid fo oedd yr unig un! — ac mi adawodd imi'i godi a'i gario i mewn. Mi gysgodd bron yn syth ac roedd bron cymaint o bobol yn edrych arno fo ag ar drysorau'r arglwydd.

"*Oh the little darling!*" meddai un hen wraig.

"*Isn't he cute!*" meddai un arall.

A dweud y gwir, rôn i'n teimlo'n reit falch er fy ngwaetha. *Mae* o'n ddigon o ryfeddod pan mae o'n cysgu. Ond erbyn inni gyrraedd pen y grisiau lle'r oedd Tracy'n aros amdanon ni, roedd fy mreichiau i'n teimlo fel plwm.

"Oes 'na rywle y medra i adael hwn?" meddwn i wrthi.

"Beth am y Chamber of Horrors?" meddai hithau. Mi welwn o'r chwerthin yn ei llygaid ei bod wedi dod dros ei phŵl poeni ac rôn i'n andros o falch o hynny. Mae'n siŵr mai peth ofnadwy ydi bod heb wreiddiau, er 'mod i'n teimlo'n aml y basai'n well imi heb fy rhai i.

Mi ges brawf pendant bod Tracy'n hi'i hun eto pan ymunais i efo criw o Americanwyr oedd yn mynd o gwmpas efo hi. (Rôn i'n dal i gario Seimon Huw — fedrwn i ddim mentro ei roi i lawr.) Roedd Tracy'n mynd i hwyl garw wrth ddisgrifio'r gwahanol stafelloedd ac yn dweud pethau digon pigog am William Henry a'r arglwyddi eraill. Mi bwyntiodd at declyn haearn yn un o'r llofftydd a dweud mai offer i boenydio morynion am siarad Cymraeg oedd o. Roedd y peth yn edrych yn fwy tebyg i brès trowsus i mi, ond a barnu wrth hisian yr Americanwyr, roedd hi wedi gwneud argraff ddofn arnyn nhw. Rydw i'n siŵr y bydd eu hanner nhw'n anfon miloedd o ddoleri i'r Blaid yr wythnos nesa. Mi winciodd Tracy arna i cyn codi dysgl hirgul yr un ffunud â'r un sydd gan Anti Jên i ddal ei brwsh dannedd. Yn hon, meddai hi wrth yr Americanwyr, roedd William Henry a William a Henry a Henry William yn cadw tafodau'r morynion oedd yn dal i fynnu siarad Cymraeg ar ôl cael eu poenydio. Roedden nhw'n torri'r tafodau allan efo'u cleddyfau, meddai hi, nes bod y stafell yn nofio o waed coch, cynnes. Erbyn hynny, roedd rhai o'r Americanwyr yn dechrau troi'n wyrdd ac, a dweud y gwir, dôn i ddim yn teimlo'n rhy dda fy hun. Rôn i'n diolch i'r drefn fod Seimon Huw'n dal i gysgu — mi fasai wedi sgrechian am fisoedd tasai fo wedi clywed y stori!

Wedyn, mi ofynnodd un o'r Americanwyr mewn llais crynedig oedd y ddysgl anferth oedd wrth ochr y gwely'n cael ei defnyddio i ddal y gwaed.

"*Well*," meddai Tracy. Ac mi aeth y stafell yn ddistaw, ddistaw wrth i'r Americanwyr ddisgwyl yn eiddgar am fwy o fanylion chwydlyd.

"*Actually*," meddai hi wedyn, "*that was the lords' chamber pot. Their behinds must have been almost as big as their heads!*"

Mi fu'n rhaid imi ddod oddi yno rhag imi chwerthin yn uchel. Mi arhosais am Tracy yn yr ardd a phan ddaeth hi, ar ddiwedd y pnawn, roedd hi'n llwythog o ddarnau punt ac ambell bapur hefyd. Mae hi'n gwneud ei ffortiwn mewn *tips*, meddai hi, a pho fwya o rwtsh mae hi'n ei adrodd, po fwya o bres maen nhw'n ei roi iddi. Mae hi'n meddwl y bydd wedi gwneud digon yn y pythefnos yma ac na fydd yn rhaid iddi weithio ar ôl y Steddfod. A finnau'n mynd trwy hunlle efo Seimon Huw bob dydd am y nesa peth i ddim!

A bod yn deg, doedd o ddim cyn waethed ag arfer heddiw. Dim ond deg blodyn ac un llwyn falodd o yng ngardd y plas, ac mi cadwodd Tracy o'n hapus ar y bws ar y ffordd adre. Mi gafodd y ddau filoedd o hwyl yn tynnu'r stumiau mwya erchyll ar ei gilydd. Roedd andros o hwyliau da ar Tracy ac mi wnaeth i Mam chwerthin heno wrth ddweud stori'r tafodau. Fel arfer, mae Mam yn rhefru'n erbyn dweud celwydd — mae 'na ormod o dwyll yn y byd 'ma, meddai hi — ond pan fentrais i grybwyll hynny, wnaeth hi ddim ond chwerthin yn uwch.

"Dameg oedd hi, yntê Tracy," meddai. "Gobeithio dy fod ti wedi troi'u stumoga nhw. Mae Americanwyr yn bwyta gormod o lawer — a gweddill y byd yn llwgu!"

O ystyried ei bod hi wrthi'n claddu clamp o *pizza* ar y pryd, rôn i'n meddwl bod ganddi dipyn o wyneb, ond ddeudais i ddim byd. Roedd 'na awyrgylch braf iawn yn y gegin — fasech chi byth yn meddwl bod 'na andros o gwmwl yn hofran dros y tŷ 'ma a bod Dad ar fin gollwng bom a ffrwydro'n bywydau ni i gyd.

Mae'n braf cael Tracy'n ôl yn hi'i hun. A dim ond tri diwrnod arall nes y gwela i Gethin! Tasai Dad ddim yn mynd trwy greisis canol oed, mi faswn i ar ben fy nigon.

Dydd Gwener, Awst 3

Doedd gen i ddim amynedd i sgwennu neithiwr nac echnos. Does 'na ddim byd o bwys wedi digwydd. Dim ond lot o bethau bach i 'ngwneud i'n ddigalon. Mae Seimon Huw mor hunllefus ag erioed, ac mae'n amlwg bod Dad yn nhŷ Helen bron mor aml ag yr ydw i. Bore ddoe, mi bwyntiodd Seimon Huw at gês bach du oedd yng nghornel y stafell fyw a dweud, "Elfyn", ac erbyn studio'n fanwl mi faswn innau'n taeru mai cês Dad oedd o. Wn i ddim beth oedd ynddo fo — roedd o wedi'i gloi'n dynn — ond mi fetia i bod y mwnci dauwynebog yn symud ei bethau i mewn fesul dipyn am nad ydi o'n ddigon dewr i dorri'r newyddion inni. Un diwrnod, mi wneith o jest peidio â dod adre ac, a bod yn onest, synnwn i ddim na chymrith hi wythnos neu ddwy i Mam sylwi. Mae honno'n treulio'i hamser i gyd yn hel sbwriel efo Parri Bach a go brin y basai'n sylwi tasai Helen yn symud i mewn efo ni, heb sôn am Dad yn symud allan.

Ond dydw i ddim yn mynd i boeni am y peth. Am wythnos gron, gyfan dydw i ddim am boeni am ddim ond Gethin a finnau. Ben bore fory, mi fydda i'n cychwyn am y Steddfod, ac erbyn yr amser yma nos fory mi fydda i wedi'i weld o ac wedi cael sgwrs efo fo. O, rydw i'n edrych ymlaen! Well imi gysgu rŵan er mwyn imi edrych ar fy ngorau.

Dydd Sul, Awst 5

Rydw i'n eistedd ar fy mhen fy hun yng ngharafán fach, fudr, flêr ffrind Parri Bach. Mae hi'n tresio bwrw'r tu allan ac mae'r glaw'n pistyllio i mewn yn un gornel o'r garafán — ar fy ngwely i, wrth gwrs! Rydw i'n teimlo mai fi ydi'r hogan fwya anhygoel o echrydus o anlwcus yn y byd i gyd. Mae Tracy a Nerys wedi mynd i'r dre efo criw o hogiau sy'n aros yn y garafán nesa. Hogiau o'r de ydyn nhw ac maen nhw'n ddigon clên — yn saff, maen nhw'n welliant mawr ar y lembo Gareth 'na a Dewi di-lun. Ond maen nhw fel criw o fwngreliaid bach wrth ochr llew o'u cymharu efo Gethin.

Mi driodd Tracy a Nerys fy mherswadio i fynd allan ac mi fu'n rhaid imi gyfaddef yn y diwedd 'mod i wedi dod i'r Steddfod yn unswydd i weld Gethin. Roedd y ddwy wedi'u syfrdanu.

"'Ti'n fwy twp nag wyt ti'n dishgwl!" meddai Tracy. "Shwt elli di hoffi'r crîp 'na?"

Y gnawes galed! A finnau wedi bod mor sensitif a theimladwy efo hi pan oedd ganddi broblem! Rôn i wedi llwyr fwriadu mynd am dro o gwmpas y maes fory i chwilio am ei thad hi: maen nhw'n dweud bod Cymry Llundain i gyd yn dod i'r Genedlaethol. Ond choda i ddim bys bach i'w helpu hi rŵan!

Ches i ddim cydymdeimlad gan Nerys chwaith.

"Waeth iti ddod efo ni ddim," meddai hithau. "Ella y gweli di o yn y dre. Os byddi di'n anlwcus!"

Argol! Does gan y ddwy yna ddim chwaeth! Os nad ydyn nhw'n gweld bod Gethin yn andros o bisyn, mae nhw'n ddall neu'n wallgo. Faswn i ddim yn disgwyl iddyn nhw werthfawrogi'i sensitifrwydd o — maen nhw mor galed eu hunain. Cyn gynted ag y gwaeddodd hogiau'r de'u bod nhw'n barod i fynd, mi redodd y ddwy allan fath â chŵn ar drywydd sgwarnog heb boeni dim amdana fi. Doedd dim ots ganddyn nhw fy ngadael ar fy mhen fy hun yn fan'ma. Nefoedd! Maen nhw fel tasen nhw'n meddwl bod hogiau'n bwysicach na dim arall!

O, mae fy nhraed i'n brifo! Rydw i wedi cerdded milltiroedd ddoe a heddiw yn chwilio am Gethin. Rydw i wedi bod yn y maes pebyll o leia bum gwaith — ac mae hwnnw bellteroedd yr ochr arall i'r dre, fel tasai fo ddim yn perthyn i'r Steddfod o gwbwl. Rydw i wedi syllu i mewn i bob pabell ac wedi gweld pethau nad ôn i ddim yn meddwl oedd yn digwydd yng Nghymru —

a'r cyfan i ddim! Doedd 'na ddim golwg o sach gysgu Gethin, heb sôn amdano fo — mi faswn yn 'nabod y sach yn syth a finnau wedi'i chario rownd y dre am ddiwrnod cyfan. Mae'n rhaid nad ydi o wedi cyrraedd eto, a doedd 'na ddim pwrpas felly imi fynd i'r dre efo'r genod. Does gen i ddim math o ddiddordeb yn neb arall. O, ble mae o? Os na ddaw o, mi fydda i wedi dioddef pythefnos o Seimon Huw i ddim pwrpas o gwbwl. Gweld Gethin oedd yr unig reswm imi ddod i'r garafán oer, ddiflas 'ma. Mi faswn i'n medru hiraethu lawn cystal yn fy llofft fy hun — ac o leia mi faswn i'n gyfforddus yn fan'no!

Ac fel tasai methu gweld Gethin ddim yn ddigon o boen, mae Mam wedi cyrraedd y Steddfod heddiw — heb Dad. Mae hwnnw'n gweithio fory ac am ddod ddydd Mawrth, meddai hi, pan es i a Tracy i gael ein hinspectio amser te. Rydyn ni'n gorfod gwneud hynny bob dydd. Wn i ddim pam — does 'na ddim byd cyffrous yn debygol o ddigwydd inni yn y twll yma. Nid i mi beth bynnag.

Doedd Mam ddim i'w gweld yn poeni dim am Dad. Roedd hi a Parri Bach yn llawn cynlluniau i gynnal arbrawf ar faes y Steddfod fory i brofi bod powdrau osôn-gyfeillgar yn golchi dillad llawn cystal ag unrhyw bowdrau eraill. Mae gan Parri Bach lond bŵt o'r stwff ac mae Tracy a finnau wedi gorfod addo y gwnawn ni helpu i'w ddosbarthu o. Roedd Mam yn edrych yn hapus iawn yn eistedd yn ei charafán foethus, braf yn trafod efo Parri Bach. Mae'n amlwg mai honno ydi'r garafán y mae ffrindiau Parri Bach yn ei defnyddio i fynd ar wyliau. Synnwn i damaid nad ydyn nhw'n defnyddio hon i gadw ieir! Tydi oedolion wastad yn cael y pethau gorau!

Fedra i ddim deall pam nad ydi Mam yn poeni. Mae'n amlwg i mi nad ydi Dad yn bwriadu dod i'r Steddfod o gwbwl. Erbyn i ni fynd adre, mi fydd wedi symud at Helen. O, pam mai dim ond fi sy'n sylweddoli beth sy'n digwydd? Mae'n amlwg 'mod i'n berson eithriadol o sensitif er nad oes neb yn gwerthfawrogi hynny. Neb ond Gethin. O, gobeithio y daw o fory!

Dydd Llun, Awst 6

Haleliwia! O, mae bywyd yn grêt, yn ffantastig, anhygoel, arallfydol o grêt! Heno, mi ges fod efo Gethin. Roedd o'n falch o 'ngweld i ac mi gawson ni sgwrs hir, hir am bob peth dan haul — wel, amdano fo yn benna, a dweud y gwir, ond doedd dim ots gen i am hynny. Roedd jest cael bod efo fo'n nefoedd i mi. Mae o'n fy lecio i! Rydw i'n gwybod ei fod o ac mi leciwn i ruthro allan i ganol y maes carafanau 'ma a gweiddi dros y lle er mwyn i bawb gael gwybod. Mi leciwn i wneud araith i ddiolch i Gyngor y Steddfod a'r archdderwydd a ffawd a rhagluniaeth a phopeth am ddod â ni at ein gilydd eto. Mi ga i'i weld o bob dydd yr wythnos yma ac mae bywyd yn fêl i gyd. Yr unig gwmwl ar fy ngorwel i ydi Dad a'i greisis gwirion. Ond mi fedra i ddioddef hynny hyd yn oed, rŵan 'mod i wedi cael Gethin yn ôl.

Digwydd ei weld o'r pnawn 'ma wnes i. Roedd Tracy a Nerys a finnau ar ein ffordd yn ôl o faes y Steddfod ar ôl bod yn helpu Mam a Parri Bach efo'u harbrawf dwl. Dôn i ddim yn chwilio am Gethin ar y pryd. A

dweud y gwir, rôn i'n rhy brysur yn diolch 'mod i'n dal
yn fyw. Mi fûm i bron â marw o gywilydd yn ystod y
pnawn. Roedd Mam a Parri wedi gosod stondin ar
ganol y maes, a dyna lle'r oedd Mam yn taflu sôs coch
a phob math o bethau sglyfaethus eraill — ddim i gyd
yn osôn-gyfeillgar, yn fy marn i — ar grysau gwyn.
Wedyn, roedd hi'n rhoi'r crysau i Parri Bach ac roedd
hwnnw'n mynd ati i'w golchi er mwyn dangos nad oedd
yn rhaid defnyddio powdwr sy'n llygru'r amgylchedd.
Neu dyna roedd o i fod i'w ddangos. Y cwbwl a brofodd
o mewn gwirionedd oedd nad oedd ganddo fo obadîa
sut i olchi crys. Waeth pa bowdwr roedd o'n ei
ddefnyddio, roedd y crysau'n dal i edrych yn hollol
chwydlyd, ac roedd yr hen Parri'n mynd i banig glas
wrth drio'u rhwbio a'u sgwrio. A thra oedd y
pantomeim yma'n mynd ymlaen, roedd Tracy a Nerys
a finnau'n trio hwrjio pacedi o bowdwr osôn-gyfeillgar
ar bobol. Gwrthod wnaeth y rhan fwya, wrth gwrs, ac
rôn i'n teimlo fel taswn i mewn hysbyseb oedd wedi
troi'n hunlle.

Fûm i 'rioed â ffasiwn gywilydd ac roedd hi'n amlwg
bod Tracy a Nerys yn teimlo'r un fath. Mi sleifion ni o'r
maes cyn gynted ag y cawsom ni gyfle, ac rôn i'n
bwriadu mynd i'r garafán i guddio am dipyn cyn mentro
i'r maes pebyll. Dôn i ddim isio i bobol weiddi pethau
fel, "Ydi'ch powdwr chi'n golchi'n wynnach na gwyn?"
ar f'ôl i.

A dyna pryd y gwelais i o! Roedd o'n sefyll wrth y
fynedfa ar ei ben ei hun ac roedd o wedi gwirioni pan
es i ato fo. Ddeudodd o ddim byd llawer, wrth gwrs —
nid dyna'i ffordd o — ond mi amneidiodd pan

awgrymais i'n bod ni'n mynd am dro i'r dre. Am ryw reswm, mi wrthododd Tracy a Nerys ddod efo ni na threfnu i'n cyfarfod ni wedyn. Dydyn nhw ddim yn gwerthfawrogi Gethin o gwbwl, ond dydi hynny'n poeni dim arna i. Eu colled nhw ydi o. Does na'r un hogyn arall yn y Steddfod nac yng Nghymru na'r byd na'r bydysawd sydd mor sensitif ac mor deimladwy. Ac mae o'n ymddiried cymaint ynof fi. Mi ddeudodd wrtho i heno dros beint o *lager* — wel, sawl peint a dweud y gwir — ei fod yn teimlo iddo ddod i'w nabod ei hun yn well wrth gael siarad â'i dad. Rydw i'n gwybod i sicrwydd na fasai fo byth yn dweud hynny wrth neb arall.

Mi leciwn i gael sgwrs efo 'nhad i. Ella mai dyna ddylwn i'i wneud, yn lle poeni'n ddistaw ar fy mhen fy hun. Ches i ddim cyfle i ofyn cyngor Gethin heno — roedd o'n siarad mor ddiddorol, fedrwn i ddim torri ar ei draws o. Ond rydw i'n siŵr mai siarad efo Dad fasai'r peth call i'w wneud. Mi dria i gael cyfle fory, os daw o i'r Steddfod. O, gobeithio y daw o!

Dydd Mawrth, Awst 7

Argol! Rydw i wedi bod yn ffŵl! Rydw i wedi bod yn anhygoel o stiwpid o dwp! I feddwl 'mod i wedi amau bod Dad yn cael *affair* efo Helen! Efo Helen o bawb! Dydi o ddim hyd yn oed yn ei lecio hi ryw lawer. Mae hi'n rhy effeithiol ac egnïol ac mae hi'n codi dipyn bach o ofn arno fo, meddai fo.

Mi es i draw i garafán Mam amser te ac roedd Dad wedi cyrraedd! Fûm i 'rioed mor falch o weld neb. A bod yn onest, roedd o'n well teimlad nag a ges i hyd yn oed pan welais i Gethin bnawn ddoe. Ar ei ben ei hun roedd Dad — roedd Mam a Parri Bach yn brysur yn picedu'r toiledau, yn trio perswadio pobol i ddefnyddio papur wedi'i ailgylchynu. Pan es i i mewn i'r garafán, mi aeth i'w boced yn syth ac estyn pentwr o bapurau decpunt imi.

"I ti a Tracy," meddai fo. "Rydw i wedi bod yn teimlo'n ofnadwy na fedrwn i roi mwy i chi i ddod i'r Steddfod, ond mae amgylchiadau wedi newid rŵan."

Wyddwn i ddim beth i'w ddweud. Roedd arna i ofn gobeithio'i fod o a Helen wedi ffraeo a bod pob dim drosodd. Ac, er gwaetha f'adduned neithiwr, roedd arna i ofn holi rhag imi glywed rhywbeth fasai'n brifo. Ond mi aeth Dad yn ei flaen heb i mi ddweud dim.

"Rydw i wedi bod yn ystyried gadael y Cyngor Sir," meddai fo, "a chychwyn busnes. Mynd i bartneriaeth efo Helen. Rydyn ni wedi bod yn gwneud cynlluniau, yn codi arian ac yn chwilio am adeilad addas. Ond, erbyn meddwl, mae'n well i Helen chwilio am bartner arall. Mae hi'n llawer mwy egnïol a brwdfrydig na fi. Mae'r Cyngor Sir yn fy siwtio i'n well, a dweud y gwir."

Rôn i wedi fy syfrdanu. Mi grafais fy mhen am rywbeth teimladwy, sensitif i'w ddweud, ond y cwbwl a ddaeth allan oedd,

"Busnes beth?"

"Busnes gwerthu pethau osôn-gyfeillgar," meddai fo. "Syniad dy fam oedd o. Mi fydd hi'n siomedig iawn 'mod i wedi penderfynu aros yn y Cyngor Sir. Ond dyna fo. Dydi hi ddim yn hawdd tynnu cast o hen geffyl."

Siomedig! Sut medrai Mam fod yn siomedig? A finnau'n teimlo bod yr haul wedi codi eto! Mi daflais fy mreichiau am wddw'r hen geffyl a'i ddychryn am ei fywyd.

"Hei! Howld on!" meddai fo. "Dydw i ddim wedi rhoi llawer o bres iti."

Nid am y pres rôn i'n meddwl, wrth gwrs, ond fe'm trawodd i'n sydyn na fasai dim rhaid imi fynd yn ôl at Seimon Huw ac mi wasgais wddw Dad yn dynnach. Mi ddaeth Mam i mewn wedyn ac roedd hithau'n falch o'i weld. Ond doedd hi ddim yn falch o glywed y newyddion.

"Dewis y llwybr hawdd eto," meddai hi. "Pam na fedri di fentro am unwaith? Mentro dros egwyddor."

"Os wyt ti'n poeni cymaint, pam nad ei di i fusnes?" meddai Dad yn syth. "Mi fasai'n fwy o gyfraniad o lawer na rhedeg rownd efo Aneurin Parri'n dysgu pobol sut i sychu'u penolau!"

Mi gadewais i nhw wedyn. Roedd hi'n amlwg bod popeth yn iawn yn tŷ ni — neu yn ein carafán ni, a bod yn fanwl gywir. A taswn i ddim yn disgwyl y blwmin canlyniadau ac yn mynd yn chwys oer drosta bob hyn a hyn wrth feddwl amdanyn nhw, mi fasa 'myd i gyd yn wyn! Heno, mae Gethin yn cysgu yn adlen y garafán 'ma! Doedd ganddo fo ddim cwmni i fynd i'r Maes Pebyll, a dôn i ddim yn teimlo'n hapus iddo fynd ei hun — mae o wedi yfed braidd ar y mwya. Nid 'mod i'n gweld bai arno fo am hynny. Efo problemau fel sydd ganddo fo — mi ges wybod mwy amdanyn nhw heno — mae'n syndod nad ydi o ar gyffuriau neu waeth.

Mi ges i andros o waith perswadio Tracy a Nerys i adael iddo aros, ond mi gytunon yn y diwedd. Wn i ddim beth sydd ganddyn nhw yn ei erbyn o. Does 'na ddim hogyn anwylach yn y byd i gyd. A heno, mae fy myd i'n berffaith, yn anhygoel, ffantastig o berffaith.

Dydd Mercher, Awst 8

O, beth wna i? Rôn i i fod i gyfarfod Gethin heno am saith. Ond er imi aros wrth ddrws y dafarn swnllyd, lawn am dros ddwyawr, doedd 'na ddim golwg ohono fo. Mi es i o gwmpas tafarnau eraill y dre wedyn, ond doedd o ddim yn yr un o'r rheiny chwaith. Doedd o ddim yn ei babell — wedi imi gerdded yr holl ffordd yno i chwilio. A doedd neb yn y Maes Pebyll yn gwybod lle'r oedd o nac i'w weld yn poeni o gwbwl ei fod o ar goll.

"Gethin?" meddai rhywun pan holais i. "Y boi od 'na rwyt ti'n ei feddwl? Dydyn ni ddim wedi'i weld o a does gynnon ni ddim awydd ei weld o chwaith."

Gethin druan! Does 'na neb ond fi'n ei werthfawrogi o. O, gobeithio nad oes dim byd wedi digwydd iddo fo! Tybed ddylwn i fynd i ffonio'r ysbytai neu hysbysu'r heddlu? Rydw i bron â drysu wrth boeni amdano fo.

Mae Tracy a Nerys drws nesa yng ngharafán hogiau'r de. Mae 'na griw mawr yno ac maen nhw'n gwneud andros o sŵn. Mi ddaeth un o'r hogiau yma gynnau i ofyn imi fynd draw. Gwynedd ydi'i enw fo, rydw i'n meddwl — Duw a ŵyr pam, achos mae'n amlwg o'r ffordd mae o'n siarad na fu o 'rioed yn agosach i Wynedd nag Aberteifi.

"Dere!" meddai fo. "Ni'n joio mas draw!"

Ond sut medra i fwynhau a meddwl bod Gethin yn gorwedd yn gorff gorjys mewn cwter yn rhywle? Mae'n rhaid bod rhywbeth ofnadwy wedi digwydd iddo fo.

Fasai fo byth yn fy ngadael i i lawr. O, dydw i ddim yn gwybod beth i'w wneud.

Dydd Iau, Awst 9

Mae'n rhaid bod rhywbeth wedi digwydd. Doedd Gethin ddim yn ei babell pan es i i chwilio'r bore 'ma, a doedd 'na ddim golwg ohono fo ar y maes drwy'r pnawn. Mae Tracy a Nerys ar fin cychwyn i'r dre ac maen nhw wedi pwyso arna i i fynd efo nhw. Mi fu'r ddwy, chwarae teg iddyn nhw, yn andros o glên efo fi drwy'r dydd heddiw. Maen nhw wedi derbyn o'r diwedd 'mod i mewn cariad go iawn efo Gethin er nad ydyn nhw'n deall pam.

"Pawb at y peth y bo!" meddai Nerys y bore 'ma. "Ond paid â phoeni, Del. Mi chwiliwn ni amdano fo efo ti. Os mêts, mêts!"

Mi aethon ni'n tair i'r maes i chwilio. Faswn i ddim wedi mynd yn agos i'r lle fel arall. Wela i fawr o bwynt mewn cerdded rownd a rownd yn smalio'ch bod chi'n falch o weld pobol nad oes gynnoch chi obadîa pwy ydyn nhw. Ffrindiau i Mam a Dad oedd y rhan fwya o bobol wnaeth fy stopio i, rydw i'n meddwl: roedden nhw'n rhy hen i fod yn ffrindiau i mi beth bynnag. Ac roedden nhw i gyd yn dweud 'mod i wedi prifio! Fel tasai hynny'n beth od! Mi fasai'n fwy o ryfeddod o lawer taswn i'n aros yr un maint o flwyddyn i flwyddyn. Mi fasai ganddyn nhw le i boeni wedyn.

Mi grwydrodd Tracy a Nerys a finnau am oriau ond, yn y diwedd, mi flinon ni gerdded ac mi brynais i ysgytlaeth siocled bob un inni. Rôn i'n wirioneddol ddiolchgar i'r ddwy am fy helpu ac yn sylweddoli 'mod i'n lwcus bod gen i ffrindiau cystal ac na fedrwn i fyth dalu'n ôl iddyn nhw am wastraffu diwrnod o'u Steddfod. Mi eisteddon ni'n tair wrth ryw bolyn yng nghanol y cae. Roedd 'na gorn siarad ar y polyn a, thrwy hwnnw, roedden ni'n clywed rhywun yn traethu am gystadleuaeth y gadair. Y beirniad oedd o, mae'n rhaid, achos roedd o'n disgrifio'r cerddi i gyd fesul un. A dweud y gwir, erbyn imi ddechrau gwrando, roedd o'n ddigon difyr ac mi lwyddais, am ychydig bach, i anghofio fy mhryder am Gethin. Ymhen hir a hwyr, mi ddaeth y boi at y gerdd ola — yr orau yn y gystadleuaeth, meddai fo — a phan glywais i am beth roedd hi'n sôn, mi ddechreuais wrando o ddifri. Cerdd oedd hi am rywun oedd wedi bod yn gweithio yn Llundain. Roedd o wedi syrthio mewn cariad yno ac roedd ei gariad o wedi cael plentyn. Ond wedyn roedd o wedi colli cysylltiad â'r plentyn er bod yr un gwaed yn llifo trwy'u gwythiennau nhw'u dau. Roedd y bardd yn swnio'n rêl pen bach slopi i mi, ond pan ddywedodd y beirniad, 'Cadeirier Cocni' mi ges andros o syniad ffantastig. Yn sydyn, rôn i'n gwybod sut medrwn i dalu'n ôl i Tracy am fod mor glên efo fi.

"Tyrd!" meddwn i gan neidio ar fy nhraed a thrio'i llusgo hi ar fy ôl. "Brysia! Rhaid inni fynd i mewn! Mae dy dad wedi ennill y gadair!"

Doedd Tracy, wrth gwrs, ddim wedi bod yn gwrando ar y feirniadaeth — roedd hi a Nerys yn rhy brysur yn hel clecs am hogiau'r de. Doedd ganddi hi ddim syniad am beth rôn i'n sôn a, phan eglurais i, doedd hi ddim yn beth fasech chi'n ei alw'n ddiolchgar.

"Paid â siarad dwli!" meddai hi. "Sais oedd 'nhad i.

Wy'n gwbod cymaint â hynny. Bydde fe byth yn gallu gweud 'Bore da', heb sôn am gynganeddu! Ta beth, does 'da fi ddim diddordeb ynddo fe nawr. Wy'n hapus 'da dy dad ti.''

Rôn i'n falch iawn o glywed hynny, er 'mod i braidd yn siomedig. Mi fasai wedi bod yn eitha cyffrous perthyn trwy fabwysiadu i fardd y gadair. Ond roedd hi'n braf gwybod bod Tracy'n hapus efo'n teulu ni.

Rydw innau'n hapus efo Mam a Dad, diolch byth! Ond dyna'r unig beth sy'n fy ngwneud i'n hapus. O, mi leciwn i taswn i'n gwybod lle mae Gethin! Rydw i'n meddwl yr a' i i'r dre efo'r criw, wedi'r cwbwl. Ella bod 'na siawns bach, bach y gwela i o yn fan'no.

★ ★ ★

Wel, mi welais i Gethin a dydw i byth bythoedd isio'i weld o eto tra bydda i byw. Pan gerddon ni — Tracy, Nerys a finnau a'r hogiau o'r de — i mewn i'r dafarn, dyna lle'r oedd o'n eistedd wrth y drws. Roedd ei fraich o'n dynn, dynn am hogan erchyll o hyll ac roedd o'n siarad yn ddwys efo hi. Mi blygais ymlaen ac mi clywais i o — mi clywais i o efo fy nghlustiau fy hun yn dweud,

''Rydw i'n teimlo 'mod i'n fy nabod fy hun yn well ar ôl siarad efo 'nhad. Faswn i byth yn dweud hynny wrth neb arall.''

Wnes i ddim aros i glywed mwy. Mi ruthrais am y lle chwech. Rôn i'n teimlo'n sâl, yn teimlo bod y byd wedi chwalu. Rôn i'n gwybod i sicrwydd na fedrwn i byth fod yn hapus eto. Sut medrai fo fy nhywyllo i? Sut medrai fo adael imi gredu mai fi oedd yr unig un, yr unig glust oedd yn gwrando arno fo, yr unig ysgwydd roedd o'n pwyso arni, yr unig berson oedd yn ei ddeall? Y sinach dauwynebog! Mi addunedais i yn y fan a'r lle na faswn i byth, byth, byth yn ymddiried yn yr un hogyn arall, hyd yn oed taswn i fyw i fod yn gant! Mi addunedais y baswn yn dilyn credo Mam — bod dynion yr un mor llygredig â'r blaned 'ma ac y basai'r bydysawd yn well lle hebddyn nhw.

Mi ddaeth Tracy a Nerys i'r lle chwech ar f'ôl i, a chwarae teg, mi wnaethon eu gorau i 'nghysuro. Mi ddeudodd Tracy ei bod wedi meddwl fy rhybuddio ers talwm ei bod hi a Gareth a phawb arall wedi hen ddiflasu ar Gethin.

"So fe'n siarad am ddim ond amdano fe'i hunan,'' meddai hi. "Yn enwedig os yw wedi ca'l diod. Does 'da fe ddim diddordeb mewn pobol eraill. Mae e fel record wedi craco!''

Ac roedd Nerys yn cytuno. "Dyna'r cwbwl mae'r crîp yn ei wneud,'' meddai hi. "Trafod ei broblemau, gwylio'r bocs ac yfed. Mae o'n ddigon â chodi cyfog ar rywun!''

"Mae'i fam a'i dad o wedi ysgaru,'' meddwn i. Rôn i'n teimlo y dylwn i amddiffyn Gethin ryw ychydig, er mwyn yr amser a fu.

"Nefoedd!'' meddai Nerys yn syth. "Dydi hynny ddim esgus. Mae rhieni miloedd o bobol yn ysgaru, ond mae'r rhan fwya ohonyn nhw'n dygymod yn iawn. Dydyn nhw ddim i gyd yn diflasu pawb efo'u problemau, fath â hwnna. Doedd 'run ohonon ni'n deall beth welaist ti ynddo fo.''

O, diolch yn fawr! Nhw wnaeth fy mherswadio i i fynd efo fo i ddechrau cychwyn! Ac mae'n siŵr eu bod nhw'n ddigon balch 'mod i'n ei gadw fo'n brysur, rhag iddyn nhw a'u cariadon ciami orfod ei ddifyrru o. Ond wnes i ddim edliw, achos heno, am unwaith, roedden nhw'n ffrindiau da imi. Mi wnaethon eu gorau i godi fy nghalon i ac i wneud imi deimlo'n un o'r criw. Ac roedd hogiau'r de'n glên iawn efo fi, chwarae teg. Mae'n amlwg eu bod nhw'n gwybod yr hanes achos mi wnaethon nhw i gyd, yn enwedig Gwynedd, ofalu 'mod i'n cael sylw a ddim yn cael amser i hel meddyliau. Roedden nhw'n pwyso arna i i fynd i barti yn eu carafán nhw ar ôl dod o'r dre. Ond yma y des i: rôn i'n teimlo bod rhaid imi gael amser ar fy mhen fy hun.

Wna i fyth, fyth, fyth syrthio mewn cariad eto a gwastraffu fy mhersonoliaeth sensitif ar lembo dideimlad, hunanol. Ac mae pob dyn yn hunanol, meddai Mam; does na'r un ohonyn nhw'n werth y drafferth. Mae hi yn llygad ei lle. Er mor bleserus ydi snogio, dydi o ddim yn gwneud iawn am gael eich brifo. A dyna sy'n digwydd bob tro.

Mae 'na andros o sŵn chwerthin yn dod o'r garafán drws nesa. Mi ddeudodd Tracy ar y ffordd adre heno bod bod mewn criw yn medru bod yn fwy o hwyl na bod efo'r un person drwy'r amser. Mi fedra i ddeall pam ei bod hi'n teimlo felly a hithau wedi treulio cymaint o amser efo'r Gareth wirion 'na. Mi faswn i'n meddwl y basai bod efo criw o Ferched y Wawr neu'r Orsedd yn fwy difyr na bod efo hwnnw! Ond rydw i'n deall beth oedd ganddi hi. Mae'n siŵr bod bod mewn criw yn beth reit braf. Ac yn sicr mae o'n saffach!

Argol! Maen nhw'n cael hwyl! Maen nhw'n torri'u boliau'n chwerthin erbyn hyn. Braf arnyn nhw! Biti na fedrwn i ddysgu chwerthin a bod yn bositif a chymryd

un dydd ar y tro! Ond dydi hynny ddim yn hawdd —
ddim tra bod y canlyniadau ar y gorwel, a ddim tra bod
'na hogiau yn y byd.

Iesgob! Maen nhw'n cadw reiat go iawn drws nesa!
Mae'r hogiau 'na'n andros o gesus, yn enwedig
Gwynedd. Nid 'mod i'n ei ffansïo fo o gwbwl. Dydi o
ddim yn bisyn o bell ffordd ond mae ganddo fo'r math
o wyneb sy'n goleuo pan mae o'n siarad. Ac *mae* o'n
gês. Faswn i byth bythoedd yn mynd efo fo, wrth gwrs;
tydw i wedi addunedu nad a' i fyth efo neb arall! Ond
mi fasai dipyn o chwerthin yn gwneud byd o les imi.

Ella y picia i draw i weld beth sy'n digwydd.